M000078137

SI ON RECOMMENÇAIT

Ses livres, traduits en quarante-six langues, atteignent des tirages vertigineux et ses pièces sont jouées régulièrement dans plus de cinquante pays : Éric-Emmanuel Schmitt est l'un des auteurs francophones les plus lus et les plus représentés dans le monde. Il est aussi l'auteur le plus étudié dans les collèges et les lycées. Né en 1960 à Lyon, cet agrégé de philosophie, docteur en philosophie, normalien de la rue d'Ulm, auteur d'une thèse sur Diderot, s'est d'abord fait connaître au théâtre en 1991 avec *La Nuit de Valognes*, son premier grand succès. Il n'arrêtera plus. Non seulement les plus grands acteurs ont interprété ou interprètent ses pièces – Belmondo, Delon, Francis Huster, Jacques Weber, Charlotte Rampling et tant d'autres –, mais le Grand Prix de l'Académie française couronne l'ensemble de son œuvre théâtrale dès 2001. Romancier lumineux, conteur hors pair, amoureux de musique, Éric-Emmanuel Schmitt fait passer une émotion teintée de douceur et de poésie dans tous les arts. Il est à la fois scénariste, réalisateur, signe la traduction française d'opéras, sourit à la BD et monte lui-même sur scène pour interpréter ses textes ou accompagner un pianiste ou une soprano… En 2012, l'Académie royale de la langue et littérature françaises de Belgique lui offre le fauteuil n° 33, occupé avant lui par Colette et Cocteau. En 2016, il a été élu à l'unanimité par ses pairs comme membre du jury Goncourt.

ERIC-EMMANUEL SCHMITT

Si on recommençait

ALBIN MICHEL

« Un beau soir l'avenir s'appelle le passé, c'est alors qu'on se tourne et qu'on voit sa jeunesse. »

LOUIS ARAGON

> «

Un jardin d'hiver abandonné.

Deux portes donnent sur l'extérieur, un parc forestier arrangé à l'anglaise mais livré à la nature depuis des années : l'une se trouve dans la serre, la seconde dans le couloir droit relevant de la partie construite.

De ce côté, un palier conduit à un escalier qui mène aux chambres de l'étage, tandis qu'un autre, plus bas, accède à l'office qu'on devine.

Des draps ont été posés sur les meubles, confirmation que personne n'occupe la maison.

Seule une haute et ancienne horloge comtoise échappe aux linceuls ; elle se tient droite, sévère, dans un coin, d'où elle égrène son tic-tac avec solennité.

Venant du parc, une silhouette approche. Un homme en manteau sombre introduit la clé dans la serrure de la serre, la tourne avec difficulté puis pousse le battant. Sous l'impulsion, les gonds grincent.

Alexandre, bel homme de soixante ans, entre avec lenteur, respect, presque intimidé. Il garde de l'enfance sur ses traits.

Il contemple ce qui l'entoure sans rien oser toucher, troublé, ému.

L'arrachant à la rêverie, son téléphone sonne. Il répond à contrecœur.

ALEXANDRE

Oui, madame Ducret-Dombason, j'y suis. Le pêne était bloqué mais il a fini par céder. Comme vous dites, « la rouille, c'est l'arthrite des serrures »... *(Navré par cette formule, il lève les yeux au ciel.)* Elles n'évitent pas la vieillesse, « pas plus que nous » ? Très drôle... *(Il soupire en subissant les propos de son interlocutrice.)* Oui, oui, « le temps donne de la valeur aux choses »... *(Justement, une poignée lui reste entre les mains et il la regarde, interdit.)* Par le temps, vous insinuez l'usure ? Non, « le temps au sens noble » ! Oh, excusez-moi, je ne connaissais que le temps au sens ignoble. *(Il tente de renfoncer la poignée.)* Si, si, je suis toujours là... Ce que j'en pense ? C'est que je ne pense pas si vite, madame Ducret-Dombason, je viens d'arriver. Avant d'explorer le manoir, je visite le pavillon au fond du parc... Oui... Vous avez un « client déjà très intéressé » ? Ah, je n'en doute pas une seconde, je n'ai encore jamais

10

rencontré un agent immobilier qui ne possédait pas un *client déjà très intéressé...* Quelle belle race, celle des *clients déjà très intéressés !* *(Un temps.)* Oh, vous avez raison : les biens de cette qualité sont rares... *(Pour lui-même, exaspéré.)* En revanche, les lieux communs... *(Plus soutenu.)* Comment ? « Tout est entièrement d'époque » ? *(La bêtise de cette phrase le souffle.)* Ah ça, je ne peux pas prétendre le contraire, madame Ducret-Dombason : tout me paraît entièrement d'époque, seulement laquelle ? *(Il s'amuse que son interlocutrice patauge dans ses réponses.)* Non, Charlemagne peut-être pas... Napoléon III, c'est ce qu'on dit quand on ne sait pas... Charles de Gaulle ? Sûrement... Voilà : le style Charles de Gaulle ! *(Plus fort.)* Ou Nabuchodonosor... le style Nabuchodonosor... Probable ? Alors nous sommes d'accord... Oui, la transmission est mauvaise... Quoi, un « avantage » ? Certes, s'il n'y avait pas l'eau courante, ça pourrait aussi réduire ma facture d'eau... Ah, « parce que le téléphone ne passe pas, l'endroit offre un repos idéal » ? Judicieux... Il faudra que je vérifie que les portables sont bloqués dans le cimetière où j'ai acheté une concession.

Il s'approche de l'horloge dont il caresse la caisse en chêne massif.

ALEXANDRE

Non, non, madame Ducret-Dombason, vous n'avez pas compris… Je ne vous demande pas des concessions… Je… (Braillant.) je vous remercie de me proposer une réduction, mais je n'ai pris aucune décision, j'entame ma visite… (Abattu.) Si c'est une chance de manquer de réseau, ça oblige à gueuler autant qu'à la préhistoire du téléphone…

Par réflexe, il ouvre l'horloge et glisse la main à l'intérieur pour effleurer le long balancier en laiton.

ALEXANDRE

Oui… Je vous rappelle… Cela vaut mieux. À plus tard…

Il referme la vitrine. L'horloge se met à vaciller sans qu'Alexandre aperçoive le danger.

ALEXANDRE

C'est ça… À bientôt, madame Ducret-Dombason.

Il éteint son téléphone.

À cet instant, l'horloge lui tombe dessus.

Il hurle et, emporté par le meuble, s'écroule derrière le canapé.

Bruit de casse strident.

Un silence.

L'atmosphère change soudain.

Les draps s'envolent, dévoilant un mobilier défraîchi en bon état, des chants d'oiseaux crépitent, la lumière se propage : en quelques secondes s'impose une radieuse matinée d'été.

Deux jeunes gens entrent, l'homme poursuivant la femme en une partie de cache-cache.

BETTY

Et là ?

SACHA

Piège !

BETTY

Pardon ?

SACHA

Tu es entrée en zone dangereuse : dans le repaire du loup. *(Il s'approche d'elle.)* Je dors ici quand je séjourne chez grand-mère.

BETTY

Ah, c'est toi, le loup ?

SACHA

À condition que tu prennes le rôle de l'agneau...

Elle rit et hausse les épaules.

BETTY

Je peux jouer la louve, aussi...

SACHA

Encore mieux...

BETTY

Attention, chez les animaux, la femelle commande...

Elle l'embrasse. Il cède, ravi, puis ils s'enlacent, bouche contre bouche.

Mamie Lou, la grand-mère, apparaît et se pétrifie devant le couple au milieu de la pièce.

MAMIE LOU

Oh non !

Sacha et Betty sursautent.

SACHA

Quoi ?…

MAMIE LOU

Ça suffit !

SACHA

Enfin…

MAMIE LOU

Ça finira mal. J'aperçois déjà le désastre :
quelqu'un va y rester !

SACHA

Mamie Lou, je ne comprends pas…

MAMIE LOU
(changeant de ton, soudain aimable)

Oui, mon chéri ?

SACHA

J'ai vingt-cinq ans, je te le rappelle !

15

MAMIE LOU *(interloquée)*

Je sais très bien que tu as vingt-cinq ans.

SACHA

Je fais donc ce que je veux.

MAMIE LOU

Évidemment.

SACHA

Comme toi !

MAMIE LOU

Quoi, comme moi ?

SACHA

Toi aussi, tu fais ce que tu veux.

MAMIE LOU

Non, à mon âge je ne fais pas ce que je veux, je fais ce que je peux. *(Un temps.)* Enfin, Sacha, quel rapport ?

Sacha reprend Betty dans ses bras.

SACHA

Si je veux embrasser Betty, je l'embrasse.

16

Ils récidivent. Mamie Lou secoue la tête puis s'exclame :

MAMIE LOU

Non, non, non, ça ne peut plus durer ! *(Haussant le ton en s'approchant d'eux.)* Allons, cessez de vous bécoter, il faut me prêter main-forte, je n'y parviendrai pas seule.

BETTY

À quoi ?

MAMIE LOU

À remettre cette horloge contre le mur ! Vous ne l'avez pas remarquée ? Je ne vois que ça depuis que je suis entrée.

Sacha et Betty avisent le meuble au sol. Ils sourient de leur distraction et aident Mamie Lou à le redresser puis à le caler contre la cloison.

MAMIE LOU

Un jour, elle va tomber sur quelqu'un.

SACHA

Être écrasé par une horloge, cela s'appelle prendre un sacré coup de vieux.

MAMIE LOU

Elle ne marchera plus, maintenant...

Lorsque Mamie Lou lance le pendule, l'horloge reprend son tic-tac.

MAMIE LOU

Si ! Elle fonctionne ! *(Elle bat des mains.)* Je suis contente ! Cette vieille dame sert la famille depuis des siècles... Vous vous rendez compte, si les meubles parlaient ? Enfant, j'étais tellement persuadée que les objets avaient des yeux et une mémoire qu'avant de risquer une bêtise, je couvrais les miroirs ou les cadrans d'un voile pour qu'ils ne m'observent pas.

SACHA

Et maintenant ?

MAMIE LOU

Je les crains toujours mais je ne commets plus de bêtises.

SACHA

Mamie Lou, tu te prétends plus vieille que tu ne l'es !

MAMIE LOU

Ah, tu crois que je fais une vieillesse nerveuse ?

Sacha et Betty rient.

SACHA

En plus, tu n'as pas changé depuis des années.

MAMIE LOU

Dès qu'on est vieux, on vieillit moins vite, c'est l'avantage.

Un coup de klaxon retentit au loin.

MAMIE LOU *(marmonnant)*

Le facteur ! Quelle époque, mon Dieu, quelle époque !

SACHA

Qu'a-t-elle, notre époque ?

MAMIE LOU

J'obéis aux gens qui me sonnent, le facteur, le laitier, des inconnus au téléphone... Je vis comme une boniche.

Mamie Lou sort dans le parc.
Sacha s'approche de Betty, plein de désir.

SACHA

On visite ma tanière ?

BETTY

C'est dangereux ?

SACHA

Très.

BETTY

Alors d'accord...

Ils se retirent sur les degrés de l'escalier.

Alexandre se relève, la tête douloureuse. En s'appuyant au canapé, il le contourne puis y prend place. Le souffle court, il essaie de rallumer son téléphone.

ALEXANDRE

Allô… allô… Oh, ça ne passe pas…

Groggy, il regarde autour de lui sans noter l'absence des housses.

ALEXANDRE

Avant, il y avait de quoi boire dans ce meuble-là…

Avec peine, il se dirige vers un placard et l'ouvre. Celui-ci recèle des verres, quelques bouteilles d'alcool.

ALEXANDRE

Incroyable… C'est toujours là…

Il ouvre une bouteille de porto. L'odeur lui paraît normale et il s'en sert un verre. Lorsqu'il le porte à ses lèvres, Betty dévale l'escalier, décoiffée.

BETTY (*à Sacha derrière elle*)

Non, Sacha, pas tout de suite !

SACHA (*dans l'escalier*)

Tu n'as qu'à être moins jolie.

21

Effrayé par cette intrusion, Alexandre se plaque contre un mur : il ne s'attendait pas à rencontrer quelqu'un.

BETTY

On vient de débarquer après des heures de voyage. Si ta grand-mère revenait, de quoi aurions-nous l'air ?

SACHA

Balance l'horloge à terre et elle ne nous remarquera pas.

Betty a un sourire amusé, tentée par Sacha qui la presse de remonter.

BETTY

Bon, d'accord. Je vais chercher le sac que j'ai laissé près de la piscine.

SACHA

Je prends une douche en t'attendant.

Betty part dans le parc.
Alexandre, gêné de perturber une scène dont il n'a pas encore vu les protagonistes, se sent un intrus… Il

repose son verre en veillant à ne pas ébruiter sa présence, puis, avec précaution, traverse la pièce.

À ce moment-là, Sacha descend, en caleçon, sifflant, joyeux, pour se rendre à la douche de l'office.

Alexandre, soucieux de discrétion, se met dans une encoignure qui le dissimule. Une fois le jeune homme disparu, il ramasse son téléphone et se dispose à partir.

Sacha crie depuis l'office :

SACHA

Et zut ! Pas de savon !

Il réapparaît en tenue d'Adam.

Lui et Alexandre se trouvent brusquement face à face.

SACHA

Ah !

ALEXANDRE

Nom de Dieu !

Les deux hommes stoppent, déconcertés.

SACHA

Vous… vous désirez ?

ALEXANDRE

J'ai eu un accident.

SACHA

Où ?

ALEXANDRE

Sous cette horloge.

SACHA

Cette horloge ?

ALEXANDRE

En fait, elle s'est jetée sur moi.

SACHA

Quand ?

ALEXANDRE

À l'instant.

Un temps.

ALEXANDRE

Votre visage me rappelle quelque chose.

SACHA

Mon… ?

ALEXANDRE

Oui.

En réaction, gêné, Sacha saisit un plaid et cache
sa nudité.

SACHA

Vous aussi, vous me faites penser… Seriez-
vous apparenté aux Suchet ?

ALEXANDRE

On peut dire ça, oui.

SACHA

Moi aussi !

ALEXANDRE

Non ?

SACHA

Vous avez des traits de ressemblance avec
mon grand-père…

Alexandre continue à chercher son équilibre.

ALEXANDRE

Excusez-moi, je peux m'asseoir ?

SACHA

Bien sûr… quoique j'attende quelqu'un…

ALEXANDRE

Une seconde…

SACHA
(l'invitant à s'installer)

Je vous en prie… Voulez-vous que j'appelle
Mamie Lou ?

ALEXANDRE
(fronçant les sourcils)

Mamie Lou ?

SACHA

Nous sommes chez Mamie Lou, ici.

ALEXANDRE

Mamie Lou est morte.

SACHA

Pardon ?

ALEXANDRE

Mamie Lou est morte.

SACHA
(craignant un accident)

Quand ?

ALEXANDRE

Depuis longtemps.

SACHA *(rassuré)*

Allons, vous confondez. J'ai parlé à Mamie Lou il y a cinq minutes.

ALEXANDRE *(sceptique)*

Vous êtes médium ?

SACHA

Non.

ALEXANDRE

Impossible, elle aurait plus de cent vingt ans...

Mamie Lou entre avec des produits de toilette dans un panier en osier et traverse la pièce sans prêter attention à Sacha et Alexandre.

MAMIE LOU

J'avais oublié de garnir la salle de bains. Je vais vous arranger ça.

En la voyant, Alexandre, abasourdi, se mord la main pour étouffer un cri. Il pâlit.

Mamie Lou s'engouffre dans l'escalier.

SACHA *(amusé)*

Plutôt vive pour ses cent vingt ans, non ?

ALEXANDRE

Nom de Dieu !

Sacha hausse les épaules et s'approche, chaleureux, en tendant la main.

SACHA

Sacha Suchet, enchanté.

ALEXANDRE *(par réflexe)*

Enchanté. *(Un temps.)* Comment connaissez-vous mon nom ?

SACHA

J'ignore votre nom.

ALEXANDRE

Non.

SACHA

Si.

ALEXANDRE

Vous venez de le dire.

SACHA

J'ai dit « Sacha Suchet, enchanté ».

ALEXANDRE

Ah, vous voyez !

SACHA

Je me présentais.

ALEXANDRE

Pardon ?

SACHA

Je vous disais que je suis Sacha Suchet.

ALEXANDRE

Impossible : Sacha Suchet, c'est moi.

Un temps. Ils demeurent tous deux éberlués.

ALEXANDRE

Sacha, comme diminutif d'Alexandre ?

SACHA

Oui.

ALEXANDRE

Alexandre Suchet, dit Sacha Suchet ?

Incompréhension mutuelle.
À cet instant, Mamie Lou remonte de l'office.

ALEXANDRE

Nom de Dieu !

Effrayé, il se dissimule derrière une colonne.
Mamie Lou, en levant la tête, ne voit que Sacha et
sourit en le découvrant torse nu.

MAMIE LOU

Oh, c'est drôle…

SACHA

Quoi ?

MAMIE LOU

Te… ton… ta tenue !

SACHA

Excuse-moi, j'allais prendre une douche.

MAMIE LOU

Tu as raison, il vaut mieux y aller comme ça qu'en smoking.

SACHA

Désolé de te choquer…

MAMIE LOU

Je n'ai rien contre la nudité si les exhibition-nistes sont beaux… Ton amie Betty loge dans ta chambre, j'imagine ?

Elle traverse la pièce pour sortir.

SACHA

Mamie Lou… Connais-tu un certain Sacha Suchet ?

MAMIE LOU
(croyant qu'il parle de lui-même)
Un peu.

SACHA

Figure-toi qu'il est venu te voir.

Il cherche le visiteur du regard et s'étonne qu'il se soit éclipsé.

MAMIE LOU
(avec un sourire tendre)
Je sais. C'est très gentil de sa part.

SACHA

Ah... Tu l'attendais ?

MAMIE LOU

Je l'espérais.

SACHA
(furetant toujours pour dénicher le visiteur)
Qui est-il, pour toi ?

MAMIE LOU (en souriant)
Tout simplement quelqu'un que j'aime.

SACHA

Ah bon ?

MAMIE LOU

Oui.

SACHA *(troublé)*

Tu me l'avais caché.

MAMIE LOU

Pas besoin de préciser ces choses-là.

Tirant une lettre de son tablier, elle la lui tend.

MAMIE LOU

Le facteur m'a remis ceci pour toi.

SACHA
(recevant la lettre machinalement)

Merci. *(Poursuivant sa pensée.)* Il était ici, dans la pièce, il y a quelques minutes.

MAMIE LOU

Qui ?

SACHA

Sacha Suchet.

MAMIE LOU *(amusée)*

Je m'en doute.

Il s'approche d'elle, intrigué.

SACHA

Pourquoi me révèles-tu ça, aujourd'hui… ton amour ?

MAMIE LOU

Parce que tu me le demandes.

SACHA

Et… pourquoi à moi ?

MAMIE LOU

Parce que c'est toi.

Elle lui caresse la joue et sort.
Sacha demeure désorienté.
Alexandre quitte sa cachette, le visage grave.
Autant pour lui que pour Sacha, il murmure d'une voix sourde :

ALEXANDRE

Elle a raison.

SACHA

Où étiez-vous ?

34

ALEXANDRE *(lentement)*

Elle a raison quand elle dit que vous êtes Sacha Suchet…

SACHA

Évidemment.

ALEXANDRE

Non, vous ne saisissez pas… *(Se redressant.)* Absurde, je… le choc… je n'arrive plus à réfléchir… *(Soudain, il aperçoit la lettre et tressaille.)* Ah non ! Non ! Pas ça !

SACHA

Quoi ?

ALEXANDRE

La lettre qui… Oh non !

Du coup, Sacha lorgne l'enveloppe qu'il tenait machinalement.

SACHA

Ah, nom de Dieu ! Ça vient de Harvard !

ALEXANDRE *(serrant les dents)*

Je cauchemarde.

SACHA
(comme si la missive lui brûlait les doigts)

Oh, je n'ose pas l'ouvrir…

Alexandre se bouche les oreilles.

SACHA *(fébrile)*

Ah, si vous saviez, monsieur, je viens de terminer mes études de médecine mais j'ai demandé à poursuivre des recherches aux États-Unis, dans la prestigieuse université de Harvard, pour rejoindre le professeur Steinberg, l'homme que j'admire le plus au monde… Je ne veux pas faire médecin de campagne ou de ville, je préférerais entreprendre des recherches dans son laboratoire.

ALEXANDRE

Évidemment.

SACHA

Pardon ?

ALEXANDRE

Endurer huit ans d'études pour soigner des rhumes et des entorses, non merci !

SACHA *(incrédule)*

Oh ! C'est ce que je dis toujours.

ALEXANDRE

Je le sais.

SACHA

Pardon ?

ALEXANDRE

Je le sais.

SACHA

Pourquoi ?

ALEXANDRE

Je le dis aussi.

SACHA

Vous avez été médecin ?

ALEXANDRE

Pourquoi mettez-vous ça au passé ?

SACHA

J'imagine qu'à votre âge, vous avez pris votre retraite.

Alexandre va pour protester mais se retient. Sacha fixe la lettre qu'il tient à la main.

SACHA

Je n'aurai jamais le courage de l'ouvrir... S'ils m'acceptent... S'ils me refusent...

Avec émotion, il ouvre l'enveloppe en tremblotant.

SACHA

« Cher monsieur Suchet... »

De façon simultanée, les lèvres d'Alexandre prononcent les mots du message.

SACHA *(à voix haute)*
et ALEXANDRE *(à voix basse)*

« Nous avons l'honneur de vous annoncer que votre candidature a été retenue par le professeur Steinberg pour intégrer son équipe de recherches à dater du 1er septembre. »

Sacha hurle de joie pendant qu'Alexandre, bouleversé, a la tête qui tourne.

SACHA

C'est merveilleux !

ALEXANDRE *(fiévreux)*

C'est une catastrophe !

SACHA

Je réalise le rêve de ma vie.

ALEXANDRE *(pour lui-même)*

Pourquoi ce jour-là ? Mais pourquoi ce jour-là ?

SACHA

Quel jour ? *(Consultant sa montre.)* Nom de Dieu, nous sommes le 28 août et ils m'attendent le 1er septembre. Il faut que je chope un avion dans les vingt-quatre heures, que je prévienne le laboratoire... Je dois partir tout de suite.

Alexandre, nerveux, s'approche du parc.

ALEXANDRE

Cassandre va arriver.

SACHA

Cassandre ? Vous connaissez Cassandre ?

ALEXANDRE

Elle vient.

SACHA

Inenvisageable, nous avons rompu. Voilà trois mois que nous sommes séparés.

ALEXANDRE

Elle approche…

SACHA

Puisque je vous répète que c'est fini. Elle m'en veut à mort. Elle est tellement furieuse contre moi qu'elle ne répond plus au téléphone. *(Il se dirige vers le téléphone.)* Bon, je vais chercher les horaires des avions.

ALEXANDRE

Et Betty ?

SACHA

Quoi, Betty ?

ALEXANDRE

Je croyais que Betty et vous…

SACHA

Vous avez raison… Betty ! Betty ?

Betty surgit avec son sac.

BETTY

Oui ?

SACHA

Ça te plairait, les États-Unis ?

BETTY

Tu plaisantes ?

SACHA

Réponds.

BETTY

J'ai toujours voulu aller aux States.

SACHA

Alors nous partons. J'ai été accepté à Harvard.

BETTY

Bravo !

41

SACHA

Nous devons être là-bas dans quarante-huit heures. Tu peux te libérer ?

BETTY

Je suis libre.

SACHA

Je vais travailler dans ce laboratoire pendant plusieurs années.

BETTY

Génial ! *(Elle se ressaisit.)* Et moi ?

SACHA

Pardon ?

BETTY

Moi, que ferai-je à Harvard ?

SACHA

Me tenir compagnie, découvrir l'Amérique. Et puis nous verrons !

BETTY

Oh, n'en dis pas plus, je ne veux pas prévoir. Je déteste l'avenir, c'est un menteur qui promet tout et ne tient rien. Bon, je monte quand même déballer le cadeau que j'avais prévu pour ta grand-mère.

Elle l'embrasse et gravit l'escalier.
Alexandre, s'approchant de la porte, indique quelqu'un au loin.

ALEXANDRE

Là-bas, la silhouette qui avance d'un pas décidé… elle ne vous dit rien ?

SACHA

Cassandre !

Sacha recule, sidéré. Puis il tourne la tête dans tous les sens, aussi surpris par l'irruption de Cassandre que par la prémonition d'Alexandre.

SACHA

Comment le saviez-vous ?

ALEXANDRE *(fiévreux)*

J'ai déjà vécu cette scène.

SACHA

Pardon ?

ALEXANDRE

J'ai déjà vécu cette scène. Autrefois. Quand
j'avais ton âge.

SACHA

Pardon ?

ALEXANDRE

Quand j'étais toi.

SACHA

Vous êtes fou ?

ALEXANDRE

Et toi ?

SACHA

Ma question est une question sérieuse.

ALEXANDRE

La mienne aussi. Comment te sens-tu ?

SACHA

Et vous ?

ALEXANDRE

C'est infernal : chacun devient l'écho de l'autre.

44

SACHA (*furieux*)

Pourquoi tout le monde vient-il m'embêter quand je reçois la meilleure nouvelle de ma vie ? J'intègre Harvard ! Aujourd'hui mon sort bascule. Finis les tâtonnements et les attentes !

ALEXANDRE (*pour lui-même*)

Mon pauvre garçon ! Ta destinée se tient autant dans la personne qui va rentrer que dans cette lettre.

Sans l'écouter, Sacha, surexcité, relit l'invitation de Harvard. Pendant ce temps-là, Alexandre se met à réfléchir puis accroche soudain le bras de Sacha.

ALEXANDRE

Sacha, pars. Pars vite. Ne la laisse pas t'aborder. File par la porte de l'office et saute dans ta voiture.

SACHA

J'ai encore le temps.

ALEXANDRE

Évite Cassandre, n'entends jamais ce qu'elle veut te dire.

SACHA

Enfin, vous plaisantez : que craignez-vous ?

ALEXANDRE

Qu'elle te trouble.

SACHA

Improbable ! Cassandre n'a plus aucun pouvoir sur moi.

Cassandre, une très belle femme au visage d'ange,
apparaît à la porte, s'y arrête, fixe Sacha.

CASSANDRE

Je suis enceinte, Sacha.

Sacha vacille de quelques pas en arrière. Cassandre
entre dans la pièce.
Alexandre, accablé, se dissimule.

CASSANDRE

Voilà. Je suis venue te l'apprendre.

Elle s'assoit.
Sacha s'approche lentement.

46

SACHA

Mais… c'est impossible… ça fait trop longtemps que nous n'avons pas…

CASSANDRE

Si. Le lendemain de la rupture. Il y a trois
mois.

SACHA

Quoi ? Ce soir-là ? Et ça aurait suffi pour…

CASSANDRE

Tu es médecin, je n'ai quand même pas à te
révéler qu'une fois suffit.

SACHA

Auparavant, tu n'étais jamais tombée enceinte.

CASSANDRE

Auparavant, je prenais la pilule. Depuis que
ça n'allait plus entre nous, j'avais arrêté. Depuis
sept mois.

SACHA

Aïe…

CASSANDRE

« Aïe » ? C'est tout ce que tu dis pour accueillir notre enfant ?

SACHA

« Notre enfant »… Évite la grandiloquence. Que tu sois enceinte ne signifie pas que tu vas avoir un enfant.

CASSANDRE

Ah bon ? Qu'est-ce qu'une grossesse pour toi, le nom d'une nouvelle maladie ? *(Serrant les dents et portant son mouchoir à sa bouche.)* Excuse-moi, je dois aller aux toilettes.

Elle sort, digne, en appuyant sa main sur son ventre.

SACHA *(troublé)*

Tu… tu as des nausées ?

Cassandre s'esquive sans répondre.
Sacha se gratte la tête. Ce malaise a rendu réelle la grossesse de Cassandre. Il est ému.

SACHA

Elle a des nausées…

ALEXANDRE

Que fais-tu ?

SACHA

Je réfléchis.

À cet instant, Betty descend son bagage, tenant un foulard dans une main, son présent pour Mamie Lou.

BETTY

Je remets mon sac dans la voiture ?

SACHA

Euh… Attends un peu… Je n'ai pas encore joint l'aéroport pour nos billets.

BETTY

Tu veux que je t'aide ?

SACHA

Non, je me débrouille. Laisse ton sac là, le cadeau aussi, va donc essayer la piscine – ça te tentait.

BETTY

J'ai le temps ?

SACHA

Prenons-le.

BETTY

Je t'adore.

Betty détale, vive.
Sacha remarque de nouveau la présence d'Alexandre et secoue la tête.

SACHA

Comment aviez-vous prévu que Cassandre
viendrait ?

ALEXANDRE

Je ne prévois rien, c'est tout le contraire, je
me souviens.

SACHA

Pardon ?

ALEXANDRE

Je n'anticipe pas sur le futur, je me rappelle
le passé.

Haussant les épaules, Sacha quitte la pièce pour
monter dans la chambre.

SACHA

Je vais m'habiller.

Il disparaît. Alexandre tique.

ALEXANDRE

Et voilà : fier, crédule, responsable, rationnel, ridicule. Complètement moi. Le pire, c'est que je n'ai pas changé.

Cassandre revient, contrariée de ne pas voir Sacha. Quand elle entend du bruit au-dessus, elle s'assoit, rassurée, pour l'attendre.
Alexandre se plante devant elle.

ALEXANDRE

J'imagine que tu ne me reconnais pas.

Cassandre ne bronche pas.

ALEXANDRE

Cassandre, je te parle !

Aucune réaction.

ALEXANDRE

Tu ne me vois pas ? Tu ne m'entends pas ?

L'indifférence de Cassandre confirme qu'elle ne perçoit pas la présence d'Alexandre.

ALEXANDRE

Allons bon, tu ne me remarques pas ! *(Pour lui-même.)* Ça m'aurait tellement arrangé, autrefois.

Il se met en face d'elle.

ALEXANDRE

J'avais oublié à quel point tu es magnifique...

Elle hausse les épaules comme si elle l'avait entendu, soupire, puis se dirige vers le miroir en pied. Il s'y appuie et la regarde se contempler.

ALEXANDRE

Étrange, la perfection... Jeune, je croyais que l'apparence offrait la partie visible de l'invisible, je pensais que l'âme se dévoilait sur les visages. J'étais la victime consentante de ce genre de piège. La naïveté, le manque d'expérience plus la testostérone, voilà un cocktail qui torpille le jugement. *(Il la détaille de nouveau.)* Il y a quelques jours, à Paris, je t'ai vue. Tu avais atteint, comme moi, la soixantaine. Devant un

52

amphithéâtre bondé, tu donnais une confé-
rence… Je t'ai écoutée sans me montrer…
comme aujourd'hui… (*Il rit doucement.*) Ta
séduction n'a pas disparu, non, quelques rides,
une vague ternissure, d'infimes changements
de texture ne t'ont pas enlaidie ; tu as toujours
de l'allure. Seulement, ta peau n'est plus assez
ferme pour mentir, elle dit ta vérité, tu appa-
rais enfin telle que tu es, dure, tendue, égoïste,
sévère, sans pitié. Tu te ressembles davantage
à soixante ans qu'à vingt ans. Le temps ne t'a
pas détruite, il t'a révélée. (*Il s'approche.*) C'est
effrayant ce que je connais de toi, désormais ; je
détiens plus d'informations que tu n'en possèdes
en ce moment où tu t'inventes. (*Il la déchiffre.*)
Pourrais-je t'aimer en sachant tout ce que j'ai
découvert ? Pourrions-nous adorer quelqu'un
si nous déchiffrions son avenir ? L'amour,
ça se nourrit d'ignorance, d'incertitudes, de
craintes, d'espoirs, d'ambiguïtés. La vénéra-
tion ne s'adresse qu'au mystère. Si les visages
jeunes provoquent la passion, ce n'est pas parce
qu'ils sont ronds, lisses ou tendus, mais parce
qu'ils contiennent des secrets. Ensuite, devenus
lisibles, ils inspireront moins. Au fond, la femme
qu'on aime le plus, c'est toujours l'inconnue.

Il s'interpose entre le miroir et Cassandre.

ALEXANDRE

Avoue. Est-ce que, à cet instant, tu as
conscience que… ?

Sacha habillé, descendant de sa chambre, inter-
rompt Alexandre.

SACHA

Cassandre… je…

Cassandre se retourne.

CASSANDRE

Oui ?

Sacha distingue Alexandre en face d'elle.

SACHA

Ah, je vous interromps. Je…

CASSANDRE

De quoi parles-tu ?

SACHA

Tu discutais avec…

54

CASSANDRE

Quoi ?…

Alexandre se glisse dans une autre partie de la
pièce en adressant des signes à Sacha.

ALEXANDRE

Chut ! Continuez comme si je n'étais pas là.
Cassandre est si troublée qu'elle ne m'a pas
remarqué.

Cassandre s'approche de Sacha.

CASSANDRE

Je tiens à toi, Sacha.

ALEXANDRE *(spontané)*

Pourquoi ?

SACHA
(répétant quasi en même temps)

Pourquoi ?

CASSANDRE

Le destin.

ALEXANDRE *(pour lui-même)*

C'est faux.

CASSANDRE

Comment interpréter le coup de foudre que nous avons éprouvé dès le premier jour à la faculté ?

SACHA

Les hormones. Nous sommes hormono-compatibles.

CASSANDRE

Tu crois à ce que tu dis ?

SACHA

Je crois que le désir est une chose naturelle qui s'explique naturellement. Ton corps a émis des phéromones auxquelles mon organe voméro-nasal a été sensible, et vice versa.

ALEXANDRE *(amusé)*

Quel poète !

CASSANDRE

Peu importe, cette attirance est quelque chose que nous subissons, d'accord ? Si tu emploies d'autres mots que le destin, il s'agit de la même chose.

SACHA

Non, Cassandre, car ce qui est naturel vient naturellement mais part aussi naturellement. Notre désir a fini son temps.

CASSANDRE

Pas le mien.

SACHA

Tu affirmais le contraire ces derniers mois.

CASSANDRE

C'est ce que je t'annonce aujourd'hui.

SACHA

Normal : tes hormones de future parturiente demandent la protection d'un mâle.

CASSANDRE

Je déteste ta façon de voir les choses.

SACHA

Voilà ce que je craignais, nous n'avons plus grand-chose en commun... Cependant...

CASSANDRE

Cependant ?

SACHA

Je voudrais réfléchir.

ALEXANDRE (*pour lui-même*)

Non !

SACHA

Tu... tu as un sac de voyage ?

ALEXANDRE (*pour lui-même*)

Non !

CASSANDRE

Dans la malle du taxi.

SACHA

Va le chercher. Je... je vais demander à Mamie Lou de t'aménager une chambre au manoir...

CASSANDRE

Pourquoi pas ici ?

SACHA

Cassandre, j'ai dit « réfléchir ». Ne tire aucune conclusion.

Cassandre se lève, déjà radieuse, comme si elle avait gagné, et marche vers la porte.

CASSANDRE

Je vais chercher mes affaires et renvoyer le taxi.

Elle s'éloigne.
Alexandre s'approche de Sacha.

ALEXANDRE

Je ne suis pas d'accord.

SACHA (*découvrant sa présence*)

Quoi… Comment avez-vous osé rester ici ? Ça ne vous regarde pas.

ALEXANDRE

Si, ça me regarde. C'est mon histoire.

SACHA

Pardon ?

ALEXANDRE

Tu es moi. Enfin, je suis toi. Comprends donc :
nous sommes la même personne, toi et moi.

SACHA

Écoutez, je n'ai pas le temps de m'occuper
d'un malade. Allez rejoindre Mamie Lou.

ALEXANDRE

Sacha, arrête ! Tu as bien noté que, tout à
l'heure, je savais ce qui allait arriver.

SACHA

Et alors ? Coïncidence…

ALEXANDRE

Demande-moi un de tes secrets !

SACHA

Nous perdons notre temps.

ALEXANDRE

Je ne sais pas si nous perdons notre temps
mais le temps nous joue un tour. *(Sacha hausse*

les épaules.) Pose-moi une question dont toi seul connaisses la réponse, vite !

SACHA *(agacé)*

Qui est la première fille que j'ai embrassée ?

ALEXANDRE

Ma cousine Rachel, quand elle avait douze ans.

SACHA

C'est ma cousine, pas la vôtre.

ALEXANDRE

Tête de bois, pose-moi une nouvelle question.

SACHA

Quelle est la première fille avec qui j'ai… *(Il hésite.)*

ALEXANDRE

« J'ai »… quoi ? Précise : j'ai quoi ? Parce que j'en ai bricolé des choses avec les filles. Ou plutôt toi. Enfin nous.

SACHA

La première fille avec qui j'ai passé une nuit.

ALEXANDRE

Roxane.

SACHA *(stupéfait)*

Comment l'avez-vous appris ?

ALEXANDRE

Je me tue à t'expliquer que nous partageons
nos souvenirs.

SACHA

Pourquoi ai-je piqué Roxane à Simon sans
scrupules ?

ALEXANDRE

Parce que Simon daubait sur Roxane. Tu sup-
portais si mal ses médisances que ton agacement
t'a éclairé sur l'attirance que tu éprouvais pour
elle.

SACHA *(inquiet)*

Donnez-moi un autre de mes secrets.

ALEXANDRE

Tu ramassais les oiseaux morts quand tu étais
petit, puis tu les cachais à la cave.

SACHA

Pour en faire quoi ?

ALEXANDRE

Pour les disséquer. Tu voulais comprendre comment ça marchait à l'intérieur. Tu t'étais aménagé un laboratoire clandestin où tu tentais de réparer les cadavres. Déjà, tu effectuais des recherches en médecine, celles d'un enfant de onze ans.

SACHA

Quelle est la seule personne informée, à part moi ?

ALEXANDRE

Mamie Lou. Parce que, lorsque son chien s'est éteint, tu lui as proposé d'opérer Pouxy pour le rendre à la vie.

SACHA

C'est elle qui vous l'a dit !

ALEXANDRE

En revanche, comment aurait-elle découvert qu'après son refus tu as déterré Pouxy pour essayer de le réanimer ?

SACHA
(risquant une ultime question)
D'où me vient ma vocation de soigner ?

ALEXANDRE
Moïra.

SACHA *(ébranlé)*
Moïra… *(Titubant.)* Tu sais ça de moi ?

ALEXANDRE
Je sais ça de moi.

Bouche bée, Sacha est maintenant convaincu. Il se pince pour s'assurer qu'il ne rêve pas.
Se levant, il s'approche d'Alexandre, détaille ses traits.

SACHA
Alors je serai… comme ça ?

ALEXANDRE
Attention, pas d'insultes. Il s'agit de toi, tout de même.

SACHA
C'est… troublant.

ALEXANDRE

Rassure-toi, c'est venu progressivement. Je ne suis pas un homme jeune qui vient de subir l'accident de la vieillesse, j'ai eu le temps de m'y habituer.

SACHA

Et... tu as quel âge ?

ALEXANDRE

Soixante-cinq. J'en suis à la jeunesse de ma vieillesse.

SACHA

Ah oui... tu es en forme... Tu vas continuer longtemps... ainsi ?

ALEXANDRE *(amusé)*

Quand on est vieux, c'est pour la vie !

Un temps.

SACHA

Tu sais donc mon avenir ?

ALEXANDRE

Dans la mesure où ton avenir constitue mon passé, oui. En revanche, j'ignore ce qui m'attend dans le futur.

SACHA

J'aimerais savoir quel est mon avenir.

ALEXANDRE

Dans quel but ?

SACHA

Arrêter de me poser des questions.

ALEXANDRE

Autant arrêter d'être un homme.

SACHA

Alors pour m'encourager.

ALEXANDRE *(ambigu)*

Ou te décourager...

Sacha reçoit cette objection comme un coup de poignard. Moment de gêne entre les deux hommes.

ALEXANDRE

Quel intérêt y aurait-il à discerner l'avenir ?

SACHA

Éviter de perdre du temps.

ALEXANDRE

Le temps ne servirait plus à rien si on connaissait le futur.

Sacha va pour répondre et se retient. Il s'affale sur un fauteuil.

ALEXANDRE

Je suis revenu dans la pire journée de ma vie. Pourquoi ?

SACHA

Tu plaisantes ? C'est le plus beau jour de ma vie.

ALEXANDRE *(intense)*

Un jour de malheur, un jour tragique, un jour auquel je ne repenserai qu'avec le cœur serré, le jour où, pour la dernière fois, j'ai...

Il s'arrête, se rendant compte qu'il allait annoncer l'avenir. Il jette un coup d'œil panoramique sur la pièce inondée de lumière.

ALEXANDRE

Et il fait beau ! Et il fait chaud ! La nature affiche son indifférence à ce qui va arriver… Il n'y a qu'au cinéma que l'orage se déclenche lors d'un drame.

SACHA

Continue, s'il te plaît.

ALEXANDRE

Un accident va se produire.

SACHA

Lequel ?

ALEXANDRE

Un accident grave.

SACHA

Interviens !

ALEXANDRE

Personne ne peut contrer cet accident-là. *(Se prenant la tête entre les mains.)* Pourquoi suis-je

retombé sur ce moment ? Cela a-t-il un sens ?
Dois-je entreprendre quelque chose ?

SACHA

Révèle-m'en plus.

ALEXANDRE *(perplexe)*

Non.

Saisissant qu'il n'obtiendra pas davantage, Sacha
se dirige vers le téléphone.

SACHA

Bon, j'appelle l'aéroport pour mes billets.

ALEXANDRE *(pour lui-même)*

Quelle tentation... Se réparer. Se mettre sur
le droit chemin. S'épargner certaines erreurs.
Recommencer, peut-être...

Sacha compose un numéro.
Aussitôt paraît Mamie Lou.

MAMIE LOU *(atterrée)*

Cassandre est là ?

Alexandre, ému, se dissimule.

69

SACHA

Oui. Donne-lui une chambre au château, s'il te plaît.

MAMIE LOU

Nous recevons donc Cassandre… et Betty ?

SACHA

Oui.

MAMIE LOU

Le savent-elles ?

SACHA

Pas encore.

MAMIE LOU

Palpitant ! Ça tombe pile, ma télé est en panne. Crois-tu qu'il y aura du sang ?

SACHA

Je suis prêt à les affronter.

MAMIE LOU

Je t'adore. Un authentique petit mâle… Quand je pense que j'ai fabriqué une fille puis qu'ensuite ma fille a conçu ça, un coq, macho,

70

vantard et vaniteux, je me dis que, quand même, nous sommes costaudes, ma gamine et moi ! En fait, je venais au sujet de ta lettre, celle qui porte le tampon de Harvard.

SACHA

Ah, tu l'avais remarqué…

MAMIE LOU

Harvard ! Moi qui suis incapable de réussir une règle de trois et que les divisions font transpirer… Tu es la preuve extrêmement contrariante que l'hérédité ne constitue pas tout. Comme quoi, on peut cueillir des raisins sur des ronces… Alors, cette lettre ?

Alexandre, quoique caché, met en garde Sacha.

ALEXANDRE

Attention ! Alerte !

MAMIE LOU (à Sacha)

Quoi ? Pardon ?

SACHA (à Mamie Lou)

Je n'ai rien dit.

ALEXANDRE *(à Sacha)*

Alerte ! Méfie-toi !

MAMIE LOU

C'est curieux… J'entends quelque chose…

ALEXANDRE *(à Sacha)*

Contourne la vérité !

MAMIE LOU

Une voix d'homme…

SACHA *(à Mamie Lou)*

Non, je ne saisis pas de quoi tu parles.

MAMIE LOU

Allons bon ! Alors que les vieux entendent moins, moi j'entends trop. Je fais tout à l'envers ! *(Changeant de ton.)* Tu l'as ouverte, la lettre ?

ALEXANDRE *(à Sacha)*

Mens !

SACHA
(à Mamie Lou, simulant de façon convaincante)
Résultat négatif. Je ne suis pas pris à Harvard.

MAMIE LOU

Ah…

ALEXANDRE
(discret, cette fois, à l'attention de Sacha)
Bravo.

Contente, Mamie Lou ne le montre pas. Par sympathie, elle essaie d'abord de comprendre le point de vue de son petit-fils.

MAMIE LOU

Tu es déçu…

Un temps. Sacha et Alexandre guettent la réaction de Mamie Lou.

MAMIE LOU

Le docteur Bosquet part à la retraite. Prends sa place.

SACHA

Moi ?

MAMIE LOU

Bosquet occupe le seul poste de médecin dans un rayon de cinquante kilomètres. Autant te dire qu'il a beaucoup de patients. En plus, des patients riches et vieux, vu la région. Bingo !

SACHA

Mamie Lou !

MAMIE LOU

Je prends soin de toi, mon chéri. Je veux non seulement que tu accumules les malades, mais des malades souvent malades. *(Mutine.)* D'ailleurs, moi, si j'avais exercé la médecine, j'aurais triché : je les aurais réparés à moitié, mes clients, pour m'assurer qu'ils reviennent.

ALEXANDRE *(pour lui-même)*

Certains collègues le font, plus par ignorance que par volonté.

SACHA

Mamie Lou, la médecine est une vocation, pas un commerce.

MAMIE LOU

Si tu veux, je te donne le manoir : tu t'y établis et tu aménages ce pavillon en cabinet – il faudra juste que tu m'aides à payer les charges, les taxes, le chauffage. Contre ça, je peux même te servir de secrétaire.

SACHA

Tu travaillerais, toi ?

MAMIE LOU

Allez, je prends le risque : on n'est vieux qu'une fois ! *(Sacha grimace.)* Certes, une secrétaire médicale doit être jeune, fraîche et jolie… Je ne me propose qu'en dépannage ; dès que tu auras les moyens de me remplacer, je m'effacerai.

SACHA *(sidéré)*

Je vois que tu as planifié ma vie dans ses moindres détails…

MAMIE LOU

Je ne t'aurais rien suggéré, Sacha, si tu étais parti à Harvard.

Alexandre, s'approchant de Sacha, lui glisse à l'oreille :

ALEXANDRE

Elle est ruinée.

Sacha sursaute et se tourne vers Mamie Lou.

SACHA

Tu as des problèmes d'argent, Mamie Lou ?

Mamie Lou reçoit cette phrase comme un coup de poing dans le ventre.

MAMIE LOU

Quoi ?

Sacha se lève et l'embrasse. Très émue, elle retient sa main, met quelques secondes à s'apaiser puis avoue d'une voix blanche :

MAMIE LOU

Je reçois des courriers recommandés, les huissiers me harcèlent, la banque ne répond plus. Tout change, Sacha, tout change si vite... Quand je suis née, la fortune consistait à posséder des forêts et notre famille détenait des hectares de bois. Maintenant, on réussit dans l'industrie, dans la finance, la richesse a pris d'autres formes, mes arbres ne valent plus rien. Papa m'avait prévenue, il répétait que la providence est socialiste : elle appauvrit les riches et redistribue la richesse. Si ton père et ta mère n'avaient pas eu cet accident, ils m'auraient aidée, conseillée… Or je ne peux compter que sur moi et je ne sais même pas compter.

SACHA

Jamais je ne t'avais entendue parler d'argent ; je ne t'avais vue qu'insouciante. J'ignorais que tu craignais l'avenir.

MAMIE LOU

Devenir raisonnable à mon âge, c'est absurde, n'est-ce pas ? *(Se forçant à redevenir active.)* Je vais préparer une chambre pour Cassandre.

Elle se lève et file, légère, mais son attention est retenue par quelque chose dans la serre.

MAMIE LOU
(à l'adresse du rosier)

Oh, que fais-tu là ?

SACHA

Pardon ?

MAMIE LOU *(à Sacha)*

Il y a le fantôme de maman. À côté du citronnier. Tu ne la vois pas ?

SACHA

Non.

MAMIE LOU

Normal, tu ne l'as pas connue. *(Au fantôme.)*
Excuse-moi, maman. *(À Sacha.)* Elle me gronde
du doigt, elle n'est pas contente de moi : elle a
tellement raison.

SACHA

Je ne crois pas aux fantômes.

MAMIE LOU

Si tu en avais rencontré autant que moi, tu
n'y croirais toujours pas, tu saurais simplement
qu'ils nous entourent.

Mamie Lou sort.
Alexandre, quittant sa cachette, scrute l'endroit où
Mamie Lou désignait sa mère.

ALEXANDRE

Je ne vois pas de fantôme non plus.

Sacha hausse les épaules et considère le téléphone.

SACHA

Si je pars…

Alexandre ne répond pas.

SACHA

Qu'as-tu fait ?

Alexandre atermoie puis se tait. Sacha marque son découragement.

SACHA

Elle, elle m'en dit trop. Et toi, tu ne me dis rien.

Alexandre s'approche.

ALEXANDRE

Cette scène n'a pas eu lieu. Quand Mamie Lou m'avait rejoint autrefois, je lui avais annoncé que j'étais reçu à Harvard. Elle s'en était profondément réjouie et ne m'avait pas confié un seul de ses soucis – je ne les ai découverts que plus tard.

SACHA

Après être parti ?

ALEXANDRE

Je me tairai.

SACHA

Pourquoi es-tu intervenu en me suggérant de
mentir ?

ALEXANDRE

Je t'ai permis de gagner du temps. Tu sais
d'emblée ce que j'ignorais.

SACHA

Pourtant, je vais m'en aller.

ALEXANDRE

Peut-être…

SACHA

Tu le souhaites ?

Alexandre toise Sacha sans lui répondre.

SACHA

Tantôt, avant que Cassandre n'entre, j'ai eu
l'impression que tu me poussais à décamper,
tandis que maintenant, tu m'incites à rester.
Quel jeu joues-tu ?

ALEXANDRE

Je cherche la meilleure solution.

SACHA

Encore ? Encore aujourd'hui ? À ton âge ?

Alexandre se referme. Un temps.

SACHA

Qu'ai-je fait ce jour-là ?

Alexandre détourne la tête.

SACHA

Merci pour ton aide. Conclusion : j'hésite.

ALEXANDRE

L'hésitation est le chemin de la décision.

Agacé, par défi, Sacha s'empare du téléphone
pour appeler l'aéroport.
Mamie Lou revient et passe la tête.

MAMIE LOU

Au fait, Sacha, je ne te l'ai pas signalé : Moïra
est revenue.

SACHA
(*sursautant de joie*)

Moïra ?

MAMIE LOU

Oui.

SACHA

Comment va-t-elle ?

MAMIE LOU

Je te l'envoie dès que je la croise.

Elle se retire.
Alexandre et Sacha se regardent, souriant, envahis
par la même émotion.

ALEXANDRE

Moïra…

SACHA

Moïra… Je ne l'ai pas vue depuis deux ans.
Lors de mes précédents séjours, elle passait ses
vacances en Angleterre.

Un temps. Ils demeurent tous les deux méditatifs,
un sourire aux lèvres, en rêvant à Moïra.

82

Sacha recompose le numéro de téléphone. Alexandre aperçoit une silhouette dans le jardin.

ALEXANDRE

Voici Cassandre.

Gêné, Sacha raccroche.

SACHA

Que vais-je lui dire ?

Cassandre entre, oscille, se fige. Soucieux, intimidé, Sacha ne bouge pas non plus.
Un temps.
Comme il ne se passe rien, Alexandre décide d'intervenir.

ALEXANDRE

Je vous propose une traduction simultanée. Avec le temps, j'ai appris à comprendre ce qui s'exprimait sous les mots, voire sous les silences.

Un temps. Sacha ne réagit pas. Cassandre n'entend pas.

83

CASSANDRE

Voilà, je me suis installée là-bas, au manoir.

ALEXANDRE

Ça signifie : « Le manoir est loin, je préférerais loger ici. »

SACHA *(se raclant la gorge)*

Mm… mm…

ALEXANDRE

Traduction : « Je n'ai rien à dire. »

SACHA *(insistant)*

Mm… Mm…

ALEXANDRE
(interprétant toujours)

« Plus rien dans le cerveau… absolument plus
rien… »

Sacha lance un regard courroucé à Alexandre puis
s'approche de Cassandre.

SACHA

Tu occupes une chambre qui te plaît ?

ALEXANDRE

Traduction : « Tu me foutras la paix ? »

CASSANDRE

Oui, oui, la bleue avec les motifs de mésange.

ALEXANDRE *(traduisant)*

« La froide, la moche, celle qui a été décorée pour une vieille fille. »

CASSANDRE

Ça ira...

ALEXANDRE *(traduisant)*

« Je la déteste... »

Sacha invite Cassandre à s'asseoir.

SACHA

Comment te sens-tu ?

ALEXANDRE *(traduisant)*

« Ne me parle pas de ton ventre, ça me culpabilise. »

CASSANDRE

Ça va.

ALEXANDRE *(traduisant)*

« Continue. »

CASSANDRE

Excuse-moi d'avoir fait irruption sans prévenir.

ALEXANDRE *(traduisant)*

« J'ai réussi mon coup, je suis ravie de t'avoir
déstabilisé. »

SACHA

Non, c'est normal, il le fallait.

ALEXANDRE *(traduisant)*

« Je m'en serais bien passé. »

CASSANDRE

J'ai tenu à être honnête.

ALEXANDRE *(traduisant)*

« Je te tiens, mon gars, je te tiens par les deux
testicules et je serre. »

Un temps.

CASSANDRE

Je… je t'ai aimé, tu sais.

ALEXANDRE *(traduisant)*

« Tu pourrais m'aimer, tout de même. »

SACHA

Mais… mais… moi aussi.

ALEXANDRE *(traduisant)*

« Plus du tout. »

CASSANDRE

Qui sait… Peut-être que je t'aime encore.

ALEXANDRE *(traduisant)*

« Actuellement, je te déteste. »

CASSANDRE

Ça ne peut pas disparaître comme ça…

ALEXANDRE *(traduisant)*

« Pourquoi ça a disparu ? »

SACHA

Non, sûrement pas.

ALEXANDRE *(traduisant)*

« Je ne crois pas aux miracles, mais pour l'instant, ce qu'il y a de certain, c'est qu'on ne se supporte plus. »

Un temps.

CASSANDRE

Alors, tu as réfléchi ?

ALEXANDRE *(traduisant)*

« Je suis sûre que cet abruti n'a pas pris une seconde pour réfléchir. »

SACHA

Euh… oui.

ALEXANDRE *(traduisant)*

« Non. »

SACHA

Je me disais qu'il fallait distinguer deux choses…

ALEXANDRE *(traduisant)*

« Comment pourrais-je me tirer de cette situation ? »

CASSANDRE

Je t'écoute.

ALEXANDRE (*traduisant*)

« Je sais déjà que je ne suis pas d'accord. »

SACHA

Eh bien voilà...

ALEXANDRE (*traduisant*)

« Bon Dieu, qu'est-ce que je vais pouvoir raconter ? »

CASSANDRE

Oui ?

ALEXANDRE (*traduisant*)

« Il faut que je me retienne de l'insulter, surtout il faut que je me retienne. »

SACHA

Avoir un enfant est une décision que l'on doit prendre à deux.

ALEXANDRE (*traduisant*)

« Nous ne sommes plus ensemble, Cassandre. Comprends une fois pour toutes que nous avons rompu. »

CASSANDRE

Nous sommes déjà trois.

ALEXANDRE (*traduisant*)

« Tu es coincé, espèce de crétin. »

SACHA

Non, tu débutes une grossesse.

ALEXANDRE (*traduisant*)

« Tu vas avorter, et vite. »

CASSANDRE

Pour moi, il est déjà vivant, cet enfant. Je le sens dans mon ventre.

ALEXANDRE (*traduisant*)

« Tu m'as humiliée en me rejetant ; ma seule manière de supporter ma douleur, c'est de t'infliger ça. »

SACHA

Je ne te reconnais pas, Cassandre : tu as toujours milité pour l'interruption volontaire de grossesse. Tu en as pratiqué autant que moi pendant notre internat.

ALEXANDRE *(traduisant)*

« Alors que je croyais vivre avec une femme moderne, je me retrouve en face de Madame Cro-Magnon. »

CASSANDRE

Les autres et moi, ce n'est pas pareil.

ALEXANDRE *(traduisant)*

« Je me contrefous de ce que font les autres. »

SACHA

Il y a toi, mais il y a moi, aussi.

ALEXANDRE *(traduisant)*

« Arrête de tout considérer de ton point de vue, je ne supporte plus ton égoïsme. »

SACHA

Tu comprends ?

ALEXANDRE *(traduisant)*

« Je suis à bout de patience. »

SACHA
(se tournant vers Alexandre)

Arrête !

CASSANDRE
(croyant que Sacha s'adresse à elle)

Pardon ?

SACHA *(à Cassandre)*

Je ne te parle pas.

CASSANDRE

Quoi ?

SACHA *(à Alexandre)*

Je sais très bien me débrouiller tout seul.

CASSANDRE *(indignée)*

Ah bon !

SACHA *(à Cassandre)*

Je ne m'adresse pas à toi.

CASSANDRE

J'hallucine !

ALEXANDRE *(à Sacha)*

Attention ! Tu es en train de foutre en l'air ta scène de conciliation.

SACHA *(à Alexandre)*

Laisse-moi tranquille.

CASSANDRE

Ah, c'est ça, ta réponse ? C'est ça ? « Laisse-moi tranquille ! » Quel sale mec !

SACHA *(agacé, à Cassandre)*

Mais non, une fois pour toutes, je ne discute pas avec toi.

Excédée, Cassandre se lève.

CASSANDRE

Qui est la grognasse que j'ai vue dans la piscine ?

ALEXANDRE

Traduction : « Qui est la grognasse que... » Non, là, c'est clair.

SACHA *(à Cassandre)*

Je t'interdis de la traiter de cette manière.

ALEXANDRE *(traduisant)*

« Ah non, tu ne vas pas tout me gâcher dans la vie. »

CASSANDRE

C'est ta maîtresse !

ALEXANDRE *(traduisant)*

« C'est ta maîtresse… » Ah, plus besoin de traduction.

CASSANDRE

Tu m'as déjà remplacée.

ALEXANDRE *(pour lui-même)*

C'est merveilleux comme la colère la rend enfin sincère.

SACHA *(à Alexandre)*

Non, mais tu entends ce qu'elle dit ? Ce qu'elle ose me dire ? Alors que nous avons rompu depuis des mois. *(À Cassandre.)* Une séparation, ce n'est pas un deuil, que je sache.

94

CASSANDRE

Il y a quand même un délai de décence. Qui est la poufiasse blonde dans la piscine ?

ALEXANDRE

Traduction : « J'ai toujours voulu être blonde. »

CASSANDRE

Je suppose qu'elle n'a pas surgi par génération spontanée.

ALEXANDRE

Traduction : « C'est de la vermine ! » *(Agacé, à Sacha.)* Oh, j'abandonne, je n'ai jamais aimé son humour... Dis-lui que la blonde s'appelle Betty et que cela ne la regarde pas.

SACHA

La blonde s'appelle Betty et cela ne te regarde pas.

CASSANDRE

Évidemment, ça ne me regarde pas... Ce n'est pas ma faute si elle a un prénom idiot.

ALEXANDRE (*pour lui-même*)

Un humour de vipère.

SACHA

Betty a d'autres qualités. C'est une fille intelligente.

CASSANDRE

Ça se voit bien quand elle porte un maillot de bain.

SACHA

Et gentille, elle !

CASSANDRE

Tu dis ça contre moi ?

SACHA *et* ALEXANDRE (*ensemble*)

À ton avis ?

CASSANDRE

Tu m'attaques ?

ALEXANDRE
(*lui tenant tête comme si elle l'entendait*)

La méchanceté est une monnaie qu'on rend.

CASSANDRE

Qu'est-ce que je fais ici ? Oui, qu'est-ce que je fais ici ? *(Tenant son ventre.)* Franchement, si ça ne tenait qu'à moi…

ALEXANDRE *(à Sacha)*

Qu'elle se taise, s'il te plaît, qu'elle se taise !

SACHA
(obéissant, se tournant vers Cassandre)

Tais-toi.

Choquée, Cassandre se retourne, parée à l'assaut.

CASSANDRE

Quoi ?

ALEXANDRE *(à Sacha)*

Non, pas comme ça : tu vas obtenir le contraire.

CASSANDRE *(hurlant)*

Je me tairai si je veux, et quand je le déciderai !

ALEXANDRE
(haussant les épaules)

Voilà !

SACHA *(à Cassandre)*

Tu t'entends ? Pire que le pire des machos. Betty n'a pas droit à l'intelligence parce qu'elle est bien foutue. Quelle honte !

CASSANDRE

Tu défends toutes les femmes, là, ou tu n'en défends qu'une ? Précise ! Monsieur parle-t-il en féministe ou en amoureux ?

SACHA

Je n'admettrai pas le moindre sarcasme de ta part sur Betty ou sur ma relation avec Betty.

CASSANDRE

Ah oui ?

ALEXANDRE *(à Sacha)*

Je ne crois pas à l'amour éternel mais j'entrevois la possibilité qu'il existe entre vous une scène de ménage éternelle.

SACHA *(à Alexandre)*

Oh, toi, fous-moi la paix.

CASSANDRE
(choquée, croyant qu'il s'adresse à elle)
Assez ! Ne me parle plus sur ce ton !

SACHA *(à Cassandre)*
Je ne te parle pas.

CASSANDRE
Si !

SACHA
Non !

ALEXANDRE *(à Sacha)*
Calme-toi. Ne perds pas ton sang-froid maintenant. Contrôle-toi.

SACHA *(à Alexandre)*
Je maîtrise parfaitement la situation.

CASSANDRE
Alors demande-lui de partir.

SACHA *(à Cassandre)*
De qui parles-tu ?

ALEXANDRE *(à Sacha)*

De Betty, sans doute.

CASSANDRE

Ordonne-lui de partir !

ALEXANDRE *(pour lui-même)*

Au nom de quoi ?

SACHA *(à Alexandre)*

J'allais le dire.

CASSANDRE *(confondue)*

Tu allais le dire ? Alors, ne te retiens pas, j'attends. Pour une fois nous sommes d'accord. Convoque cette greluche et demande-lui de plier ses affaires. Je n'envisage pas un couple à trois.

SACHA

Cassandre, je t'ai proposé de séjourner ici pour que nous réfléchissions. Rien d'autre.

ALEXANDRE
(sceptique, à Sacha)

Réfléchir avec Cassandre, tu crois que c'est envisageable ?

SACHA (*à Alexandre*)

Non, pas vraiment.

CASSANDRE

Pardon ?

SACHA (*à Cassandre*)

Quoi ?

CASSANDRE

Tu me dis : « Non, pas vraiment. »

SACHA

Sûrement pas.

CASSANDRE

Tu as prononcé : « Non, pas vraiment. » Que signifie : « Non, pas vraiment » ? Quel est le reste de la phrase ? Ça n'a pas de sens, « Non, pas vraiment ».

SACHA

Oh si… Ça a beaucoup de sens.

CASSANDRE

Non.

SACHA

Si.

CASSANDRE

Lequel ?

SACHA

Réfléchis.

CASSANDRE

« Non, pas vraiment »…

SACHA

« Non, pas vraiment. » C'est très clair.

ALEXANDRE (*amusé, à Sacha*)

Tu es quand même de mauvaise foi.

CASSANDRE

Ça n'a aucun sens.

SACHA

« Non, pas vraiment » ?

CASSANDRE

Aucun !

SACHA

Ça prouve que nous ne nous comprendrons jamais.

ALEXANDRE *(à Sacha)*

Là, je suis plutôt d'accord.

CASSANDRE

Personne ne peut comprendre cette phrase, « Non, pas vraiment ». Personne. Cela n'a rien à voir avec moi. Ta syntaxe est mauvaise.

SACHA

Tu es venue ici pour discuter de ma syntaxe ?

ALEXANDRE *(enjoué)*

De la mauvaise foi, toujours, mais ça soulage.

CASSANDRE

Je suis venue ici pour te mettre en face de tes responsabilités.

Cette phrase glace les deux hommes. Un temps. Cassandre sent qu'elle a marqué des points. Elle se rassoit.

ALEXANDRE

Elle s'incruste.

SACHA *(explosant, à Alexandre)*

Pourrais-tu me foutre la paix ?

CASSANDRE *(sursautant)*

Pardon ?

SACHA *(à Alexandre)*

Trois, c'est trop.

CASSANDRE

Moi aussi ! Moi aussi, j'estime que trois, c'est trop. Tu dois choisir sur-le-champ.

ALEXANDRE *(à Sacha)*

Profites-en pour être clair.

SACHA *(à Alexandre)*

Laisse-moi tranquille.

CASSANDRE

Quoi ? Tu la choisis, elle ! Je cauchemarde.

ALEXANDRE *(à Sacha)*

Elle croit que tu lui parles.

SACHA *(à Alexandre)*

Non, c'est bien à toi, que je parle !

CASSANDRE

À moi ?

ALEXANDRE
(pas mécontent de la tournure des événements)

Quel maladroit !

CASSANDRE

Moi, tu me demandes de partir...

Sacha prend conscience du quiproquo. Il revient vers Cassandre.

SACHA

Mais non... mais non...

ALEXANDRE *(à Sacha)*

Attention à ce que tu fais, malheureux...

Cassandre saisit son ventre.

CASSANDRE

Ah... Je me sens mal...

SACHA

Oh, mon Dieu…

ALEXANDRE

Elle bluffe…

SACHA

Comment en être sûr… ?

CASSANDRE

Ah…

Elle choit dans les bras de Sacha.
Alexandre s'approche.

ALEXANDRE

Je n'y crois pas une seconde.

Il touche l'œil.

ALEXANDRE

Ah si… Elle s'est évanouie…

SACHA

Tu vois…

ALEXANDRE

L'hystérie accomplit des miracles.

106

Cassandre se réveille.

CASSANDRE

Monstre ! Je ne veux plus te voir, jamais !

ALEXANDRE *(entre ses dents)*

Si seulement…

CASSANDRE

Tu veux que je parte ? Tu l'auras cherché :
je pars !

SACHA

Cassandre, non !

ALEXANDRE

Si !

Elle sort, poursuivie par Sacha.
Mamie Lou entre dans la pièce et voit le couple
galoper.

MAMIE LOU

Sacha ! Sacha ?

SACHA *(à Mamie Lou)*

J'arrive. Attends-moi une minute, j'arrive.

Mamie Lou reste en plan.
Alexandre, se croyant invisible, s'approche d'elle.
À cet instant, Mamie Lou bouge et cogne Alexandre.

MAMIE LOU

Oh, pardon, monsieur, excusez-moi.

ALEXANDRE

Quoi ?

Étonné, il recule de quelques pas.

ALEXANDRE

Tu me vois ?

C'est au tour de Mamie Lou d'être renversée. Elle
bafouille :

MAMIE LOU

Papa ?

ALEXANDRE

Non, Alexandre.

MAMIE LOU

Alexandre ?

ALEXANDRE

Autrement dit, Sacha.

MAMIE LOU

Mon Dieu, je deviens gâteuse… Qui êtes-vous ?

ALEXANDRE

Sacha. Ton petit-fils.

MAMIE LOU

Celui qui vient de sortir ?

ALEXANDRE

Oui, le même, mais plus tard…

MAMIE LOU

Sacha, que t'est-il arrivé ? C'est épouvantable !

ALEXANDRE

J'ai vieilli.

MAMIE LOU

D'un coup ?

ALEXANDRE

Non, ça m'a pris plusieurs décennies. J'ai soixante-cinq ans.

MAMIE LOU

Soixante-cinq ans ? Mais alors, moi qui suis ta grand-mère, j'en ai combien ? Oh mon Dieu, l'Alzheimer m'attaque.

ALEXANDRE

Non, quand j'aurai soixante-cinq ans, Mamie Lou, tu ne seras plus parmi nous.

MAMIE LOU

Quelle horreur ! Je suis morte et je ne m'en rends même pas compte.

ALEXANDRE

Tu n'es pas morte : tu vois l'avenir.

Soulagée, Mamie Lou s'assoit, d'emblée convaincue.

MAMIE LOU

Ah, c'est ça… *(Elle se tourne vers plusieurs personnes autour d'elle.)* Ce n'est pas un étranger, c'est mon petit-fils dans quelques années.

ALEXANDRE

À qui t'adresses-tu ?

MAMIE LOU

Aux fantômes. Tu ne les vois pas ?

ALEXANDRE

Non.

MAMIE LOU

Ah, tu ne reconnais pas ma mère qui gra-
touille son rosier ? ni ton cousin Robert qui
pisse dans les bégonias ?

ALEXANDRE

Robert ?

MAMIE LOU

L'angelot, là ! Tu sais, ce pauvre garçon qui
est mort à l'âge de treize mois... Il ne parle
toujours pas mais il pisse.

ALEXANDRE

Mamie Lou, je ne crois ni aux anges ni aux
angelots.

MAMIE LOU

Peu m'importe que tu y croies ou pas, ton cousin Robert urine dans mes pots. Qu'est-ce qu'un angelot peut avoir contre des bégonias du Japon ?

ALEXANDRE

Avec quoi un angelot se soulage-t-il ? Je croyais que ça n'avait pas de sexe, les anges.

MAMIE LOU

Tu me décourages. Alors, que deviens-tu ? *(Avec satisfaction.)* Tu as l'air d'un monsieur. D'un monsieur qui a réussi. Dingue comme tu me rappelles mon père. As-tu une femme dans ta vie ?

ALEXANDRE

Oui.

MAMIE LOU

Je la connais ?

Alexandre lui murmure un prénom à l'oreille.

MAMIE LOU *(émue)*

Oh, je suis si contente… C'est merveilleux… Alors, ça veut dire…

ALEXANDRE

Oui.

MAMIE LOU

Avez-vous des enfants ?

ALEXANDRE

Trois...

MAMIE LOU

Quel bonheur ! Tu vas avoir des petits-enfants ! Ça, je te le conseille vivement, les petits-enfants, c'est beaucoup plus intéressant que les enfants, moins fastidieux. Ça ne te réveille pas la nuit, ça mange de tout, ça apprécie les jouets que tu offres et ça devient propre plus vite. Des petits-enfants, ce sont des enfants sans les inconvénients. Ils te contraignent juste à stocker des bonbons dans ton sac, mais, comme en vieillissant tu raffoles des sucreries, ça ne représente pas un terrible sacrifice. Franchement, si c'était à recommencer, je ne tortillerais pas une seconde : je me dispenserais des enfants et je prendrais des petits-enfants, direct !

ALEXANDRE

Pourtant, Mamie Lou, tu n'as eu qu'un petit-fils… moi.

MAMIE LOU

Oui, c'est de toi que je parle, Sacha. J'ai un petit-fils sensationnel. Sauf qu'il pense un peu trop à son avenir.

ALEXANDRE

La jeunesse, c'est le moment où l'on est préoccupé par ce que l'on va faire plus tard.

MAMIE LOU

Heureusement, avec l'âge, on se débarrasse de ça.

ALEXANDRE

Tu as raison, on se déleste du souci de l'avenir.

MAMIE LOU

De l'avenir aussi ! *(Elle rit.)* Dis-moi, comment s'est déroulé mon enterrement ?

ALEXANDRE *(reculant)*

Pourquoi me demandes-tu ça ?

MAMIE LOU

Avec qui veux-tu que j'en cause ? Je ne fré-
quente que des vivants ou des fantômes. Pour
une fois que quelqu'un déboule du futur, j'en
profite.

ALEXANDRE

Tu as peur de la mort ?

MAMIE LOU

Oh non, je connais déjà tout, ils m'ont expli-
qué.

ALEXANDRE

Qui ?

MAMIE LOU

Eux, les fantômes.

ALEXANDRE

Mamie Lou, tu les inventes, tes fantômes…

MAMIE LOU

Ah non !

ALEXANDRE

Si ce n'est pas ton esprit qui les crée, par
quel prodige expliques-tu qu'ils fassent toujours
partie de ta famille ?

MAMIE LOU

Je les rencontre parce qu'ils habitent ici :
notre dynastie occupe ces terres depuis cent
cinquante ans.

ALEXANDRE

Pourquoi n'y a-t-il pas des fantômes de trois
cents ans, de mille ans, de cinq mille ans ?

MAMIE LOU

Judicieux ! Je me suis posé la question et j'ai
donc interrogé les fantômes. Figure-toi qu'après
le premier voyage, il y en a un second…

ALEXANDRE

C'est l'ultime départ, cette fois.

MAMIE LOU

Je n'en sais rien, ils ne le savent pas non plus.
Être mort ne rend pas plus savant. *(Avec impatience.)* Alors, mon enterrement ? Raconte !

Comment était-ce ? À mon âge, puisqu'on ne peut plus rêver d'un beau mariage, on rêve d'un bel enterrement.

Sacha revient par le couloir du fond. Sentant qu'il risque d'interrompre une scène importante, il demeure dans un coin et écoute.

ALEXANDRE

Comment dire…

MAMIE LOU

Tu n'y étais pas ?

ALEXANDRE

Bien sûr que si. Seulement, ça m'émeut d'en discuter avec toi.

MAMIE LOU

Alors ?

ALEXANDRE

Il y avait tant de monde qu'on a dû laisser les portes de l'église ouvertes. De jolis discours se sont succédé, la chorale a chanté les airs que tu avais choisis.

MAMIE LOU

Je n'avais sélectionné que des airs d'opérette.
Le curé n'a pas protesté ?

ALEXANDRE

Je crois qu'il était tellement sourd que si la
garde républicaine avait interprété des marches
militaires, il n'aurait pas bronché.

MAMIE LOU

Dieu merci. Et les fleurs ?

ALEXANDRE

Je n'en avais jamais vu autant. Blanches, selon
ton désir. Sauf…

MAMIE LOU (*le cœur en chamade*)

Sauf ?

ALEXANDRE

Sauf quelques bouquets de roses rouges…

MAMIE LOU (*émue*)

Oh… Combien ? (*Un temps.*) Six ?

ALEXANDRE (*sans hésitation*)

Six.

MAMIE LOU *(n'y croyant pas)*

Six ?

ALEXANDRE

Six, je les ai comptés.

MAMIE LOU *(chancelant)*

C'est merveilleux, ils sont venus.

ALEXANDRE

Tu évoques les hommes qui se tenaient à part, avec de longs manteaux, plutôt grands, élégants ?

MAMIE LOU *(rougissante)*

Oui.

ALEXANDRE

Au début, ils avaient l'air furieux de se trouver côte à côte, puis, la cérémonie avançant, ils se sont laissé gagner par les sentiments qui nous bouleversaient tous. J'avais l'impression que leurs yeux brillaient de la même émotion.

MAMIE LOU

C'est exactement ça... *(Battant des mains.)* Oh, merveilleux, ils se sont déplacés, François, Pierre, Soames... J'aurais aimé être là.

ALEXANDRE

Tu y étais !

Ils se mettent à rire.

MAMIE LOU

Quel bon petit-fils ! C'est adorable de me
raconter mon enterrement.

Elle s'approche et l'embrasse.

MAMIE LOU

Je te quitte, ça m'a remuée, j'ai besoin d'y
songer un peu…

ALEXANDRE

Six bouquets rouges, Mamie Lou, six !

Elle baisse les paupières, pudique.

ALEXANDRE

Quelle coquine…

MAMIE LOU

J'ai été belle, tu sais.

Elle serre tendrement Alexandre contre elle.

MAMIE LOU

Je souhaite qu'un jour, mon Sacha, tu aperçoives les fantômes autour de toi, ceux qu'on voit avec le cœur, pas avec les yeux. Pour l'instant, tu ne remarques que ce qui est visible, tu pèches par excès de rationalité ; grâce au temps, tu déchiffreras le monde avec ton imagination. Parce qu'il y a autant de trésors à l'intérieur de soi qu'à l'extérieur, tu sais.

ALEXANDRE

Non, je ne sais pas.

MAMIE LOU

Peut-être l'apprendras-tu… Je l'espère.

Elle frissonne puis retraverse la serre. Au moment de passer la porte, elle s'arrête, soupirant :

MAMIE LOU

Je me sens vieille, ces derniers temps.

ALEXANDRE

Fatiguée ?

MAMIE LOU

Vieille. La jeunesse est l'âge où l'on pense que ça ira mieux demain, la vieillesse, celui où l'on pense que c'était mieux hier. Tu n'éprouves pas ça ?

ALEXANDRE

Pas du tout.

MAMIE LOU

Alors tu n'es pas encore un vieux vieux, tant mieux.

Spontané, il murmure :

ALEXANDRE

Je t'aime, Mamie Lou.

Elle l'a entendu et se retourne.

MAMIE LOU *(émue, épatée)*

Toujours aujourd'hui ?

ALEXANDRE

Oh oui.

MAMIE LOU

À ton âge ?

ALEXANDRE

Oui.

MAMIE LOU

Merci. Je me sens mieux…

Elle lui envoie un baiser, sort.
Alexandre baisse la tête, bouleversé.
Sacha, qui a suivi la fin de la scène à l'écart, mani-
feste sa présence.

SACHA

C'est faux, naturellement, l'histoire des
hommes beaux et dignes qui dissimulaient mal
leur chagrin ?

ALEXANDRE

C'est vrai.

SACHA

Ah bon ? *(Un temps.)* Mamie Lou a eu des
amants…

ALEXANDRE

Des amoureux…

SACHA

Ça s'est passé quand, cet enterrement ?

Alexandre change de sujet :

ALEXANDRE

Et Cassandre ?

SACHA

J'ai renoncé à la poursuivre, elle ne voulait
plus m'entendre.

ALEXANDRE

Est-elle partie ?

SACHA

Non, bien sûr.

ALEXANDRE

Que comptes-tu faire ?

SACHA

Aimer Cassandre, je ne peux plus.

124

ALEXANDRE

À supposer que tu l'aies aimée un jour.

SACHA

Pardon ?

ALEXANDRE

Le premier amour tient plus de la curiosité
que de l'amour.

Une jeune fille bondit dans la pièce en désignant
Sacha du doigt.

MOÏRA

Toi, je te déteste !

SACHA *(enchanté)*

Moïra !

MOÏRA

Je te déteste sérieusement.

Le visage d'Alexandre s'éclaire aussi. Il est
encore plus ému à la vue de Moïra qu'à celle de
Mamie Lou.

SACHA *(émerveillé)*

C'est incroyable ce que tu as poussé. On dirait presque une jeune fille.

MOÏRA

Presque ?

ALEXANDRE *(insistant)*

Corrige, corrige vite, s'il te plaît.

SACHA

En fait, je vois une jeune fille nouvelle qui a gardé les yeux pétillants de la minuscule Moïra.

MOÏRA

N'essaie pas de m'amadouer, de toute façon, je te hais.

SACHA

Quel âge as-tu maintenant ?

MOÏRA

Je suis trop grande pour qu'on me demande mon âge comme à une gamine.

ALEXANDRE *(avec émotion)*

Elle a quinze ans.

SACHA

Quelle bonne surprise !

MOÏRA

Quoi ? Que je te déteste ?

SACHA

Non, que tu sois là.

MOÏRA

Enfin, tu n'entends rien ? Je te dis que je te
déteste.

SACHA *(pour lui-même)*

Qu'elle est mignonne !

ALEXANDRE

Il vaudrait mieux que tu l'écoutes.

SACHA
(à voix basse, à Alexandre)

C'est une gosse.

ALEXANDRE

Et quand bien même ?

SACHA *(à Moïra)*

Que voulais-tu ?

MOÏRA

Je viens de voir Cassandre et Betty. Elles parlent de toi.

SACHA

Je suppute qu'elles s'engueulent.

MOÏRA

Elles pleurent.

SACHA *(de mauvaise foi)*
Je me demande bien pourquoi.

MOÏRA

Moi aussi : tu n'es même pas beau.

SACHA *(riant)*
Moïra, je ne prétends pas être beau.

MOÏRA

Elles sont persuadées que tu l'es. *(Elle s'approche pour l'examiner.)* Beau, ce n'est pas ça.

ALEXANDRE *(attendri)*
Non, sûrement pas.

MOÏRA

Beau, c'est comme Miko Mori.

SACHA

Miko Mori ?

ALEXANDRE *(soufflant)*

Le chanteur.

MOÏRA *(haussant les épaules
comme s'il s'agissait d'une évidence)*

Mon chanteur ! J'ai soif, je vais boire quelque
chose à la cuisine.

Elle descend à l'office.
Sacha se précipite vers Alexandre.

SACHA

Miko Mori ?

ALEXANDRE *(à toute vitesse)*

Toi, tu as parfois des poils qui dépassent des
narines, pas Miko Mori. Certains matins, tu te
réveilles avec les yeux rouges et les paupières
gonflées, pas Miko Mori. Quand le vent souffle,
tu te pointes à ton rendez-vous les cheveux en
bataille, pas Miko Mori. Au cours d'une jour-

née, tes vêtements gravent des plis, tandis qu'à 23 heures Miko Mori semble sortir du pressing. Si tu montes sur la piste, le disc-jockey passe toujours une danse qui t'échappe et que Miko Mori possède souverainement. Miko Mori a un petit derrière tout rond pendant que nous, les hommes normaux, nous hésitons entre le gros cul et les fesses plates. L'été, ses ongles ne retiennent pas la poussière ; son maillot de bain le moule sans le boudiner et, au soleil, quand toi tu vires écrevisse, lui devient doré ; pis, il arrive bronzé dès le premier jour. Lorsque tu manges des spaghettis, le jus de tomates saute sur ta chemise mais épargne Miko Mori. Miko Mori ne transpire pas, ne fait pas de boutons, ignore l'estomac qui gargouille, les mains moites ou les lèvres sèches. La salade ne s'accroche pas à ses dents, le café ne lui jaunit pas l'émail. Miko Mori a inventé la propreté et toi, par contraste, tu as breveté la crasse. Miko Mori, le mâle parfait et autonettoyant, c'est ce que tu n'es pas et ce que tu ne seras jamais. Ma vie durant, j'ai dû affronter des Miko Mori. Les femmes que j'ai désirées avaient toujours un Miko Mori dans la tête. Chaque fois que j'ai échoué dans une tentative de séduction, je me suis retourné et il y avait un Miko Mori qui ricanait.

Moïra revient de la cuisine et traverse la pièce.

MOÏRA

Avec laquelle restes-tu, Betty ou Cassandre ?

SACHA

Que ferais-tu à ma place ?

MOÏRA

Je ne serai jamais à ta place. Moi, si j'aimais, je n'aimerais qu'un seul homme toute ma vie.

SACHA

On dit ça quand on a quinze ans puis après on oublie.

MOÏRA

Ah bon, tu as dit ça à quinze ans ?

SACHA

Non.

MOÏRA

Alors ?

SACHA

L'amour n'a rien de facile.

MOÏRA

La facilité, c'est se tromper de personne. Tu as bien commencé. Si tu ignores laquelle des deux tu préfères, tu n'en aimes aucune. Autrement, tu ne balancerais pas. Qu'est-ce que je leur rapporte, à Betty et Cassandre ?

SACHA

Que je réfléchis.

MOÏRA

J'espère qu'elles ne sont pas assez bêtes pour attendre quelque chose de toi.

SACHA

Tu repars si vite ? Pourquoi ne me tiens-tu pas compagnie ?

MOÏRA

Je te rappelle que je te déteste.

SACHA

Bien sûr.

Elle s'élance vers le jardin.

SACHA

Moïra, rassure-moi : comment vas-tu ?

MOÏRA

Je déteste aussi qu'on m'interroge sur ma santé.

Elle part.
Alexandre, nostalgique, se rapproche de lui.

ALEXANDRE

Tu te rappelles la première fois ?

SACHA

J'avais dix ans.

ALEXANDRE

J'étais amoureux de notre voisine, Léa. Je me cachais derrière les buissons pour l'admirer.

SACHA (*ébaubi*)

Amoureux, vraiment ?

ALEXANDRE

Tu ne t'en souviens pas ?

SACHA

Non. Pourtant, c'est aussi mon enfance.

ALEXANDRE

On n'a pas une enfance mais plusieurs : ça dépend de l'âge auquel on la raconte. En ce moment, à vingt-cinq ans, tu n'as pas envie d'avoir été amoureux d'une femme de quarante ans, tandis que moi, avec le recul, je me le remémore avec plaisir. Je vibrais d'émotion chaque fois que je repérais Léa, notre voisine, je m'endormais en songeant à elle, je ne pouvais passer devant son portail sans avoir les oreilles en feu. Elle est partie deux ou trois mois puis elle est revenue, amaigrie, avec Moïra.

SACHA

Dans son couffin, Moïra m'attendait et m'a souri. Ce fut immédiat : j'étais conquis.

ALEXANDRE

En un clin d'œil, sa mère a quitté mes pensées. Adieu Léa, bonjour Moïra. Chaque soir, j'allais voir Moïra, bavarder avec Moïra, m'occuper de Moïra, me réchauffer auprès de Moïra. Heureusement que mon âge excluait tout soupçon de paternité. *(Un temps.)* Le premier, j'ai remarqué les difficultés de Moïra, ses essoufflements, sa lenteur à reprendre une respiration normale, ses bronches encombrées. C'est moi qui me suis d'abord inquiété.

SACHA

On se moquait, on me traitait de « mère juive ».

ALEXANDRE

Puis un pédiatre s'est étonné à son tour. Moïra a subi des examens à l'issue desquels on lui a détecté une maladie du cœur. Selon les spécialistes, une malformation génétique la condamne : dans le meilleur des cas, elle atteindra vingt-cinq ans, pas davantage. Dès lors, je ne pus la contempler sans que ma gorge se noue. Cette toute petite fille m'apparaissait une héroïne, sa joie me semblait du courage, son sourire un défi. Si elle s'asseyait, je la croyais épuisée. Si elle tombait, je l'imaginais brisée. Si elle toussait, j'entendais son dernier soupir. En quelques semaines, j'ai maigri, le sommeil m'a fui, les migraines m'ont envahi. Personne ne comprenait ce qui m'arrivait, personne ne saisissait qu'à chaque seconde, j'assistais à l'agonie de Moïra. Alors une nuit, j'ai décidé que je deviendrais médecin pour la soigner.

SACHA

Et je me suis mis à étudier.

ALEXANDRE

Et j'ai enfin retrouvé le sommeil.

Sacha et lui s'observent, désemparés de partager un souvenir si intime.

SACHA

Je n'ose pas te demander ce qui se passera pour elle… toi qui as l'avenir en tête…

Alexandre se détourne afin de ne pas répondre.

SACHA (*pour lui-même*)

Non, ne me dis rien… J'ai trop peur.

Moïra revient, boudeuse, dans la pièce.

MOÏRA

Elles m'ennuient.

136

Le visage des deux hommes s'éclaire.

SACHA

Betty et Cassandre ?

MOÏRA

Oui. Je suppose que je suis un peu jalouse.

Sacha et Alexandre s'approchent d'elle, ébranlés par le mot « jalouse ».

MOÏRA

Elles ont de la chance et elles ne s'en rendent pas compte.

ALEXANDRE
(oubliant qu'il n'est pas entendu)

La chance de quoi ?

MOÏRA

La chance qu'un garçon puisse tomber amoureux d'elles.

SACHA

Chaque fille a cette possibilité.

MOÏRA

Moi pas. À cause de ma maladie, je resterai
seule.

ALEXANDRE (*spontanément*)

Moïra !

SACHA (*choqué aussi*)

Moïra, pourquoi affirmes-tu ça ?

MOÏRA

Je ne peux pas courir, pas danser, pas chan-
ter, je m'effondre au moindre effort et tomber
enceinte serait de la folie furieuse, à supposer
que j'y parvienne. Tu connais un homme qui
voudrait de ce cadeau ?

ALEXANDRE (*bouleversé*)

J'avais oublié qu'elle pensait ça…

SACHA

Moïra, tu es tellement jolie… Les garçons
seront fous de toi, je te le certifie.

MOÏRA

Mais moi, aurais-je le droit d'être folle de
l'un d'eux ? Une fois que mon éventuel fiancé

apprendra ma maladie, il détalera. Et ce sera si logique que je ne lui en voudrai pas.

Sacha s'éloigne, bouleversé par cet aveu. Alexandre, lui, reste auprès de Moïra, continuant à converser comme si elle l'entendait.

ALEXANDRE

Tu oublies un détail : l'amour. *(Un temps.)* Ce garçon pourrait t'aimer. Telle que tu es.

MOÏRA *(à Sacha)*

Son amour sera pollué par la compassion. Je n'inspire que de la pitié, Sacha, pas de l'amour.

Elle se retourne et rejoint la sortie.

SACHA

Tu pars ?

MOÏRA

Il y a un show de Miko Mori à la télévision !

Elle se retire, laissant les deux hommes dans la même émotion.

ALEXANDRE
(comprenant un détail qu'il n'avait jamais saisi)
Alors, c'est pour ça !

SACHA
Quoi ?

ALEXANDRE
Miko Mori. L'homme superlatif, le superman
à l'eau de rose : elle le brandit pour dresser un
obstacle entre elle et les hommes réels.

Sacha se dirige vers le téléphone.

SACHA
Si je reste praticien généraliste, je lui prescri-
rai des médicaments inefficaces ; si j'entreprends
des recherches à Harvard, je définirai mieux sa
maladie, son mécanisme, peut-être même décou-
vrirai-je des solutions…

Sacha compose à nouveau le numéro de téléphone.
Alexandre sourit.

ALEXANDRE
Et Cassandre ? Et l'enfant ? Et Mamie Lou ?

SACHA

Tu me décourages ?

ALEXANDRE

Je t'interroge. Aujourd'hui, tu as le choix entre partir et rester. Si tu restes, tu sais ce qui t'attend. Si tu pars, tu l'ignores.

SACHA

Aide-moi à faire le bon choix !

ALEXANDRE

Et si, faire le mauvais choix, c'était ta signature ?

Un temps. Sacha se frotte le front.

SACHA *(torturé)*

Si je reste...

ALEXANDRE

Si tu restes, tu deviendras l'excellent médecin qui s'occupe des gens de la région, tu guériras des maux, tu sauveras des vies, tu mettras des bébés au monde. En privé, tu combleras tes proches : Mamie Lou qui échappera à la ruine,

Cassandre qui s'appuiera sur un mari, l'enfant
qui profitera d'un père.

Sacha baisse la tête, vaincu. Il repose le téléphone
avec lenteur.

SACHA

J'ai peur d'avoir compris.

ALEXANDRE

Quoi ?

SACHA

Je me suis cru seul au monde. J'ai oublié les
autres. La recherche, le départ en Amérique,
l'ambition scientifique, ce n'est pas du désinté-
ressement mais le déguisement de mon égoïsme.
Je m'étais persuadé de déborder d'altruisme
alors que je ne pensais qu'à moi.

ALEXANDRE

Disons que tu pariais sur l'inconnu.

SACHA

Ça me paraissait plus riche.

142

ALEXANDRE

L'inconnu est surtout riche de ce qu'on lui prête, les illusions s'y collent comme des mouches à un papier adhésif.

SACHA

Pardon ?

ALEXANDRE

Au laboratoire de Steinberg, tu mènerais des investigations, sans doute, cependant, obtiendrais-tu des résultats ?

SACHA

Quoi ! Tu prétends que je ne peux pas...

ALEXANDRE

Je ne prétends rien. Je te rappelle seulement que lorsqu'on cherche, il faut aimer chercher, pas trouver. On passe sa vie de savant à multiplier les hypothèses, à tenter de les corroborer par des expériences, sans parfois en confirmer une seule.

SACHA

Tu m'inquiètes.

143

ALEXANDRE

L'ambition, c'est souvent l'autre nom d'une dérobade. Les minables pressentent qu'ils ne réussiront pas à s'insérer dans la vie réelle et désignent une autre vie, rêvée, si haute celle-ci qu'on estimera normal qu'ils ne l'atteignent pas. Ils n'annoncent pas un triomphe, ils masquent leur fiasco à l'avance. Sacha, tu sais suffisamment de choses pour servir la société et tes proches. Pourquoi poursuivre une chimère ?

SACHA

Je rêvais de me montrer utile.

ALEXANDRE

Sois déjà utile aux tiens.

SACHA

Je rêvais d'apporter quelque chose de nouveau.

ALEXANDRE

Qui n'a rêvé de changer le monde à vingt ans ?

Sacha se lève, mal à l'aise.

SACHA

Mais si je ne rêve pas de ça maintenant, qui le fera ? Et quand ? *(Se rebellant.)* Moquer les ambitions de la jeunesse, voilà une des activités préférées des hommes mûrs. Quand les vieux persiflent, ils ne parlent pas de nous, ils parlent d'eux : ils tentent de justifier leur faillite, d'oublier qu'ils se sont endormis dans le confort, la paresse, la routine.

ALEXANDRE

Je te signale que je ne suis pas n'importe quel homme mûr, mais toi.

SACHA

Tu as raté ta vie ? J'ai raté ma vie ?

ALEXANDRE

Continue : l'arrogance est le fruit de la jeunesse.

SACHA

Et l'aigreur, le fruit de l'expérience ? Tu n'es pas allé à Harvard, tu n'as entrepris aucune recherche, tu n'as soigné que des rhumes, des entorses, et maintenant tu veux que je te donne raison, que j'approuve ta lâcheté, ta faiblesse, ta démission. Désolé ! Je ne me résous pas à penser que je suis fini à vingt-cinq ans.

ALEXANDRE

Ah oui ?

SACHA

Il y a des gens qui courbent la tête, regardent leurs pieds, non leurs rêves. Pas moi ! Ils pèsent, ils soupèsent, ils réfléchissent. Pas moi ! Les lâches multiplient les analyses, à la différence des courageux. J'arrête de tergiverser, je fonce !

ALEXANDRE

Et tes proches ?

SACHA

C'est ma vie que je dois réussir, pas la leur !

ALEXANDRE

Quelle inconséquence !

SACHA *(les yeux brillants)*

Peu importe, j'ai au fond de moi une intuition qui me tient lieu de guide.

ALEXANDRE

Quoi ?

SACHA

Je sais que je trouverai quelque chose.

ALEXANDRE

Pardon ?

SACHA

Je trouverai quelque chose. J'en ai la prémonition.

ALEXANDRE *(pour lui-même)*

Je ne me souvenais pas de ça.

SACHA

Je vois la lumière dans mon chemin. Moi qui me méfie de tout, là, je ne doute pas.

ALEXANDRE *(pour lui-même)*

C'est incroyable... Depuis le temps, j'avais oublié...

SACHA *(agressif)*

Tu te moques de moi. « Quelle naïveté ! » penses-tu.

ALEXANDRE

Non : quelle confiance !

SACHA

L'intuition, c'est souvent la fenêtre par
laquelle on aperçoit son destin, non ?

ALEXANDRE

Oh, le destin…

SACHA

J'ai la mémoire de demain, comme si mon
destin était du passé en avance.

ALEXANDRE

Tu te nourris peut-être d'une illusion.

SACHA

Peut-être… Toi seul le sais.

Sacha s'approche de lui, le scrute dans les yeux,
attendant la réponse.

SACHA

Réponds !

ALEXANDRE
(gêné, saisi d'une migraine)

Oh non…

SACHA

Explique !

ALEXANDRE

Si je t'annonçais ce que sera ta vie, ce ne serait plus ta vie que tu vivrais mais celle d'un autre.

SACHA

Réponds.

ALEXANDRE

Jamais.

SACHA

À quoi sers-tu alors ?

ALEXANDRE *(hors de lui)*

D'où te vient l'idée que je te sers à quelque chose ? Et moi, est-ce que je me demande à quoi tu sers ? Pourquoi sommes-nous face à face ? Y a-t-il un sens à cette rencontre ?

Ils se regardent, troublés.

SACHA *(lentement)*

Déterminer si la fatalité existe… Évaluer si, indépendamment des aléas ou des circonstances, on prend toujours les mêmes décisions…

ALEXANDRE

Sommes-nous libres ou livrés au destin ?

SACHA

Quel drame de ne pas savoir !

ALEXANDRE

Quelle tragédie si l'on savait !

Sacha se dirige vers le téléphone.

SACHA

Je dois m'occuper des billets : pour Moïra.

ALEXANDRE

Mais c'est peut-être dans vingt ans, dans trente ans, que tu repéreras une piste. Et Moïra sera morte.

SACHA

C'est ce qui va se passer ? *(Alexandre l'avertit qu'il ne répondra pas.)* Et alors ? Il y aura

150

d'autres Moïra. Si je déniche une molécule, un traitement, Moïra et moi, nous n'aurons pas vécu pour rien.

Betty entre.

SACHA

Oh, tu tombes à pic, Betty. Je réserve les billets pour nous deux.

BETTY

Et Cassandre ?

SACHA

C'est toi que j'ai choisie, voilà la bonne nouvelle. (*Au téléphone.*) Oui, bonjour, madame, je voudrais avoir les horaires du vol Paris-New York, s'il vous plaît.

BETTY

Tu n'as pas choisi entre Cassandre et moi, tu as choisi entre les États-Unis et ici, entre une vie de chercheur et une vie de généraliste. Je suis simplement celle des deux disposée à te suivre.

SACHA (*à Betty*)

Tu en as envie ?

BETTY

De te suivre ? Oui.

SACHA *(au téléphone)*

Très bien, merci… Combien de temps dure
le vol ?

BETTY

Mais après…

SACHA *(à Betty)*

Quoi, après ?

BETTY

Je ne m'éterniserai pas auprès d'un homme
qui inflige à une femme ce que tu viens d'impo-
ser à Cassandre. Faire un gosse puis partir.

SACHA

Elle avortera dès que nous monterons dans
l'avion.

BETTY

Ça t'arrange de le croire. Et si jamais elle
gardait l'enfant, Sacha ?

SACHA

Je… j'enverrais de l'argent. Je l'aiderais…

BETTY

Verrais-tu cet enfant ?

SACHA

Oui, non. Je ne sais pas. Le moins possible.

BETTY

S'il a besoin de toi ?

SACHA

Pour l'heure, ce qu'il y a dans le ventre de Cassandre n'est pas un enfant, juste l'otage de sa jalousie. Je la convaincrai de ne pas mettre au monde une victime. (*À la vendeuse au téléphone.*) Oui, alors je prendrai deux places dans ce vol.

BETTY

Une seule.

SACHA *(à Betty)*

Pardon ?

153

BETTY

Une seule place. Je te quitte. Notre histoire ne me plaît plus.

Elle déguerpit.

Sacha, bouche bée, ne réagit pas, puis s'entend dire à la vendeuse au bout du fil :

SACHA

Je vous rappelle, madame. Excusez-moi. Oui, oui, j'annule. Merci.

Il raccroche.

SACHA (à Alexandre)

Qu'est-ce que je fais ?

ALEXANDRE

Quand j'étais jeune, je pensais que l'amour apportait le bonheur.

SACHA

Et ?

ALEXANDRE

J'avais raison.

Sacha sort en courant pour rattraper Betty.

SACHA

Betty ! Betty ! S'il te plaît...

À cet instant, il croise Cassandre qui rentre.

SACHA (à Cassandre)

Je reviens. (À Betty.) Betty ! Betty ! Attends-moi.

Cassandre sourit devant l'état de Sacha, qui se met à courir dans le parc.
Alexandre la regarde se réjouir.

ALEXANDRE

Oh oui, tu peux te féliciter !

Cassandre ne réagit pas puisqu'elle n'entend ni ne voit Alexandre.

ALEXANDRE

Pourquoi ne lui dis-tu pas ? Pourquoi ne me dis-tu pas que c'est faux ? Que tu n'es pas enceinte... Que tu as inventé ça pour me pié-ger...

155

Cassandre s'assoit, se recoiffe.

ALEXANDRE

Tu ne reviens pas par amour, seulement par amour-propre... Ne pas perdre la face, donc me coincer. La vérité, tu t'en fous ! La vérité des sentiments, la vérité sur ta grossesse, rien ne compte en dehors de ton orgueil. Vaincre, toujours vaincre... Et même passer pour une victime afin de vaincre encore. *(Il se rapproche.)* Elle est idiote, la partie que tu joues : lorsque je vais apprendre que tu mens, je vais forcément te détester, forcément te quitter. Qu'espères-tu ? Qu'auras-tu donc remporté ? *(Elle se remaquille.)* Oui, tu as raison, tu auras gagné ma douleur. Là, bravo ! Tu vas l'obtenir... *(Rapide.)* Tu m'as traumatisé, Cassandre, à cause de toi, j'ai détesté les femmes, je les ai fuies pendant des années... Compliments ! Triomphe ! Bien que tu ne m'aies pas récupéré, tu m'as éloigné des autres, tu m'as empêché d'être heureux. *(Il s'agenouille devant elle pour détailler ses traits.)* En réalité, j'aurais dû me méfier de toi. Uniquement de toi ! Tu n'es pas les femmes, tu es toi ! *(Il se penche vers elle.)* Nous avons cessé de nous voir il y a longtemps mais je me suis renseigné : tu n'as jamais eu d'enfants. Un corps beau et stérile... L'as-tu découvert plus tard ? Le sais-tu en ce moment ? *(Cassandre cesse de se maquiller.)* Tu es la femme la plus opaque que j'aie rencontrée, Cassandre. Te venges-tu déjà ? Y a-t-il, au fond de toi, un désespoir qui te rend agressive ? Ce même désespoir qui rend Moïra si bonne...

Betty entre à son tour. Elle s'arrête devant Cassandre.

BETTY

Voilà, je te laisse la place.

CASSANDRE

Merci.

BETTY

Sans hésitation.

Betty prend son sac.

CASSANDRE

Va-t-il aux États-Unis ?

BETTY

Sans moi.

CASSANDRE

Quoi ? Il parle encore de partir ?

Elle s'absente pour rejoindre Sacha au-dehors.
Betty s'assoit, décroche le téléphone.

BETTY

Je voudrais un taxi, s'il vous plaît. Au château
de La Ferté. C'est ça… Au bout du chemin
vert… Oui, j'attends la réponse…

Elle patiente, le téléphone à la main. Alexandre
s'approche.

ALEXANDRE

Tu es un de mes plus jolis souvenirs, Betty.
(Un temps.) Il y a trois ans, je t'ai aperçue à Paris,
sur une terrasse du boulevard Saint-Germain.
En fait, j'ai vu deux personnes : d'abord une
vieille qui s'apparentait vaguement à toi puis,
quand un homme s'est approché de ta table,
une jeune femme, une jeune femme radieuse qui
est sortie de l'ancienne carcasse, tel un papillon

158

qui aurait bondi hors de la chenille. Ton amant survenait et tu avais vingt-cinq ans de nouveau.

BETTY *(au téléphone)*

Oui, merci… J'attends encore…

ALEXANDRE

À jamais, tu seras l'adepte des premiers jours de flirt, des aubes après une nuit de découverte, des étonnements, des fous rires… Tu t'en vas au moindre désagrément, dès qu'il faudrait construire quelque chose au-delà de la joie immédiate. Pour toi, le plaisir est indépassable. Tu sais être heureuse comme personne, parce que tu n'es comme personne. Légère, aérienne, sans pathos…

BETTY *(au téléphone)*

Merci beaucoup. J'y vais.

Elle raccroche, perdue, considère autour d'elle cette maison dans laquelle elle sera si vite passée.

ALEXANDRE

As-tu pleuré lors d'une séparation ? Je suis certain que non.

Betty essuie une larme au bord de son œil.

ALEXANDRE *(ébranlé)*

Si ?

Elle saute sur ses pieds, résolue, attrape son sac, sort.

ALEXANDRE
(bouleversé, la regardant partir)

Betty...

Cassandre revient dans la pièce, suivie par Sacha qui argumente.

SACHA

Enfin, Cassandre, je réalise mon rêve de toujours !

CASSANDRE

Ce que je constate, c'est que tu ne peux te contenter de ce que tu possèdes. Tu décroches ton diplôme de médecin, tu veux devenir chercheur. Tu m'as séduite, tu cours après une autre femme. Tu vas avoir un enfant, tu montes dans un avion. Passeras-tu toute ta vie à changer d'avis ?

SACHA

Je n'ai jamais changé d'avis. Si tu m'avais écouté ces dernières années, tu aurais remarqué que j'ai toujours compté me lancer dans la recherche fondamentale.

CASSANDRE

Évidemment… Quand des patients sales, drogués, puants rappliquent en consultation, qui n'a pas envie de rejoindre un laboratoire bien propre, généreusement subventionné, en compagnie de génies ?

SACHA

Tu connais Moïra ? C'est pour elle que je veux partir…

CASSANDRE

Excuse ma brutalité, Sacha, mais Moïra n'a guère de temps devant elle.

SACHA

Alors, c'est pour soigner des gens comme Moïra.

CASSANDRE *(tenant son ventre)*

Insensé ! Tu préfères soigner hypothétiquement des enfants inconnus que t'occuper de ton enfant.

Secoué, Sacha se tourne vers elle.

SACHA

Quoi ?

Alexandre en demeure pantois.

ALEXANDRE

Nom de Dieu ! Elle ose.

CASSANDRE

Tu ne vas pas nous supprimer, l'enfant et moi, en mettant des milliers de kilomètres entre toi et nous.

SACHA

Je… Je… reste.

Cassandre se précipite dans ses bras. Sacha cède, peu tendre, plutôt résigné.

ALEXANDRE *(entre ses dents)*

Prends tes jambes à ton cou.

SACHA *(à Alexandre)*

Pas si simple.

ALEXANDRE

Cassandre s'est mal comportée.

SACHA

Peut-être… mais… moi, ai-je envie de devenir un salaud ?

ALEXANDRE

Et Moïra ?

SACHA

Quoi, Moïra ?

Il croit soudain comprendre.

SACHA

Il va lui arriver quelque chose ? C'est elle, le malheur qui va se produire aujourd'hui !

Sacha repousse Cassandre.

SACHA

Nom de Dieu, où est-elle ? *(Se mettant à crier.)* Moïra ! Moïra ! Où es-tu ?

Cassandre demeure si ébahie qu'elle ne réagit pas.
Sacha s'est mis à parcourir la pièce en appelant Moïra.

SACHA

Moïra ! Il est encore temps… Moïra ! Si je reste à ses côtés, je pourrai intervenir… Moïra !

CASSANDRE *(déroutée)*

Qu'est-ce qui te prend ?

Betty jaillit dans la pièce, effrayée.

BETTY

C'est horrible ! Elle a eu un malaise !

SACHA

Où ? J'y vais…

BETTY

C'est trop tard.

SACHA

Quoi ?

BETTY

Pauvre Mamie Lou !

SACHA *(pâlissant)*

Mamie Lou…

Alexandre se détourne : l'accident devait survenir.

BETTY

Elle est là-bas, au fond du parc, sur le chemin.

SACHA

Je vais la soigner.

CASSANDRE

Moi aussi.

Betty les arrête.

BETTY

Inutile.

SACHA

Quoi ?

165

BETTY

Elle est morte depuis plusieurs minutes.

Sacha tombe sur un fauteuil. Alexandre, lui, s'écarte et contemple la scène de loin.

BETTY

Au moment où elle allait démarrer sa petite voiture, elle a eu un malaise. Le voisin l'a découverte affaissée sur le volant, la poitrine contre le klaxon, un sourire aux lèvres. Au moins, elle n'a pas souffert.

SACHA

Mamie Lou…

Alexandre s'approche de Sacha et lui pose, affectueux, la main sur l'épaule.

SACHA (*à Alexandre*)

Tu t'y attendais ?

ALEXANDRE

Oui.

SACHA

C'était ça, le malheur dont tu parlais…

Betty et Cassandre se tournent vers Sacha qui, selon elles, soliloque.

BETTY

Ça va, Sacha ?

SACHA

Ça va aller.

CASSANDRE

Sûr ?

SACHA

Est-ce que… vous pouvez me laisser seul ?

Elles comprennent qu'il faut respecter son chagrin.
Cassandre se dirige vers le parc.

CASSANDRE

Je vais voir le corps.

BETTY

Je t'y emmène.

Elles sont sorties.

Pendant ce temps-là, Alexandre s'est approché de l'horloge.

ALEXANDRE *(pour lui-même)*

À la même heure qu'autrefois… *(Il caresse machinalement l'horloge.)* La mort est ponctuelle. *(Un temps.)* La mort doit être suisse. *(À Sacha.)* Que fais-tu ?

Sacha, hagard, relève la tête.

SACHA

Moïra ? Qui va prévenir Moïra ? Il faut y prêter attention. Ça peut créer un choc. On doit la ménager. Moïra…

Il décampe en marmonnant « Moïra ».

ALEXANDRE *(pour lui-même)*

Je ne me souviens plus… Ça s'est passé comme ça ?

À cet instant, il heurte l'horloge, laquelle, à cause de la secousse, tangue et lui tombe dessus.

Il crie en disparaissant au sol sous l'immense meuble.

Bruit de choc, de mécanismes qui se détruisent.

De nouveau, l'atmosphère change : on retrouve la lumière sombre du début, quarante ans plus tard.

Venue du fond du parc, une femme en tailleur s'approche, la tête ceinte d'un foulard en soie, les yeux cachés derrière des lunettes noires. Elle pénètre dans le lieu à la recherche de quelqu'un.

LA FEMME EN TAILLEUR

Alexandre… Alexandre… Sacha !

Soudain, elle aperçoit l'horloge à terre, pousse un cri, se précipite pour dégager Alexandre en l'aidant à se relever.

LA FEMME EN TAILLEUR

Ça va ?

Alexandre se frotte la tête, les épaules, les reins.

ALEXANDRE

Ça va.

La femme retire ses lunettes de soleil, les range, arrache son foulard pour épousseter les vêtements d'Alexandre : c'est Moïra, devenue une femme mûre.

MOÏRA

Parle, dis-moi quelque chose.

ALEXANDRE

Depuis combien de temps suis-je parti ?

MOÏRA

Je t'ai attendu plus de deux heures chez les voisins, ceux qui ont acheté la maison de maman. Je m'inquiétais. Tu es resté évanoui longtemps ?

ALEXANDRE

Je ne sais pas.

MOÏRA

En partant, nous nous arrêterons à l'hôpital.

ALEXANDRE

Si tu veux… (*Souriant.*) Ça va. Ça va bien. (*Regardant autour de lui.*) Il s'est passé tant de choses ici, autrefois.

MOÏRA (*riant*)

J'étais jalouse des femmes que tu y amenais.

ALEXANDRE (*riant aussi*)

Oh, je ne crois pas, tu reconstruis le passé.

MOÏRA

Je te le jure. Je m'obligeais à me concentrer
sur d'autres garçons mais je revenais toujours à
toi : tu étais si beau.

ALEXANDRE

Faux ! Tu me trouvais laid.

MOÏRA

Moi ?

ALEXANDRE

Ton idéal, c'était Miko Mori. Oh, ce que tu
as pu me soûler avec lui.

MOÏRA

Avec qui ?

ALEXANDRE

Miko Mori.

MOÏRA

Je ne m'en souviens pas… *(Cherchant quelqu'un autour d'elle.)* Elle serait fière, Mamie Lou,
si elle savait pourquoi nous sommes revenus
d'Amérique cette semaine. Qu'aurait-elle dit en

apprenant que son petit-fils partait à Stockholm recevoir le prix Nobel de médecine ?

ALEXANDRE

« Tu es la preuve extrêmement contrariante que l'hérédité ne constitue pas tout. »

MOÏRA *et* ALEXANDRE (*ensemble*)

« Comme quoi, on peut cueillir des raisins sur des ronces… »

Ils sourient.

MOÏRA

Nous étions tous ici le jour où elle est morte. Quand tu t'es précipité sur moi pour m'en informer, j'ai compris que je devais lui succéder…

ALEXANDRE

Pardon ?

MOÏRA

Pour te protéger.

ALEXANDRE (*estomaqué*)

Ah oui ? Tu me protèges, toi ?

MOÏRA

Tu en doutes ? Malgré tes dix ans de plus, même si monsieur le grand génie découvre des médicaments efficaces pour nous tous, c'est moi qui veille sur toi.

ALEXANDRE *(tendre)*

Ça risque de devenir de plus en plus exact.

MOÏRA

Je t'aime.

ALEXANDRE

Curieux... J'ai séjourné quelques mois ici après la mort de Mamie Lou, le temps de régler ses affaires, de vendre la propriété, d'éponger ses dettes, puis Steinberg de Harvard m'a sollicité de nouveau, croyant que je n'avais pas reçu son courrier précédent. Cette fois-ci, j'ai décollé. Le hasard...

MOÏRA

Le hasard qui se répète, n'est-ce pas la forme que prend le destin ?

173

ALEXANDRE

Tout à l'heure, en traînant dans le parc, je me demandais si j'avais été fidèle au jeune homme que j'avais été.

MOÏRA

Oui, follement. À croire que tu n'étais fait que pour un seul choix.

ALEXANDRE

Je ne suis pas libre, alors ?

MOÏRA

Comme tout le monde, tu as le pouvoir de passer à côté de ta vie ou de la vivre. Se trouver ou se perdre, on possède cette possibilité.

ALEXANDRE

Le hasard joue son rôle… Si tu n'avais pas décidé d'étudier la littérature américaine, t'aurais-je rencontrée, plusieurs années après mon départ, sur le campus de Harvard ?

MOÏRA *(d'un air entendu)*

Dans ce cas, le hasard serait plutôt le déguisement qu'emprunte mon entêtement.

(Le prenant par le bras.) En route pour Stockholm ?

ALEXANDRE

En route pour Stockholm.

Ils se dirigent, bras dessus, bras dessous, vers la
porte vitrée donnant sur le parc.

Au moment de franchir le seuil, Alexandre se
retourne et adresse un signe tendre à quelqu'un
qu'on ne voit pas.

ALEXANDRE
(murmurant du bout des lèvres)

Au revoir.

MOÏRA

Que fais-tu ?

ALEXANDRE

Je disais au revoir au fantôme de Mamie
Lou.

MOÏRA

Où ?

ALEXANDRE
(avec un sourire ambigu)
À côté de l'angelot qui pisse dans les bégonias…

FIN

Eric-Emmanuel Schmitt
au Livre de Poche

Concerto à la mémoire d'un ange   n° 32344

Quel rapport entre une femme qui empoisonne ses
maris et un président de la République amoureux ?
Quel lien entre un marin et un escroc international ?
Par quel miracle une image de sainte Rita, patronne des
causes désespérées, devient-elle le guide mystérieux de
leurs existences ?

Les Deux Messieurs de Bruxelles   n° 33468

Cinq nouvelles sur le mystère des sentiments inavoués.
Une femme gâtée par deux hommes qu'elle ne connaît
pas. Un médecin qui se tue à la mort de son chien. Un
mari qui rappelle constamment sa nouvelle compagne
au respect de l'époux précédent. Une mère généreuse
qui se met à haïr un enfant. Un couple dont le bonheur
repose sur le meurtre.

*Les dix enfants que madame Ming
n'a jamais eus*   n° 33579

Le narrateur, un voyageur de commerce français qui
passe régulièrement en Chine, entame un dialogue avec
Mme Ming. Travaillant au sous-sol du Grand Hôtel,

cette femme se vante d'élever dix enfants ! Comment, dans un pays où la loi impose l'enfant unique, une telle famille nombreuse peut-elle voir le jour ? Mme Ming dissimule-t-elle un secret ?

L'Élixir d'amour   n° 33980

Anciens amants, Adam et Louise vivent désormais à des milliers de kilomètres l'un de l'autre, lui à Paris, elle à Montréal. Ils entament une correspondance, où ils évoquent les blessures du passé et leurs nouvelles aventures, puis se lancent un défi : provoquer l'amour. Mais ce jeu ne cache-t-il pas un piège ?

L'Enfant de Noé   n° 30935

1942. Joseph a 7 ans. Séparé de sa famille, il est recueilli par le père Pons, un homme simple et juste. Mais que tente-t-il de préserver, tel Noé, dans ce monde menacé par un déluge de violence ?

L'Évangile selon Pilate
suivi du *Journal d'un roman volé*   n° 15273

Première partie : dans le Jardin des oliviers, un homme attend que les soldats viennent l'arrêter pour le conduire au supplice. Deuxième partie : trois jours plus tard, Pilate dirige la plus extravagante des enquêtes policières.

La Femme au miroir   n° 33060

Anne vit à Bruges au temps de la Renaissance, Hanna dans la Vienne impériale de Sigmund Freud, Anny à Hollywood aujourd'hui. Trois femmes dans trois époques différentes qui vont néanmoins se tendre la main... Et si c'était la même ?

Georges et Georges   n° 33465

Après quelques années de vie commune, Marianne et Georges ne se supportent plus. Grâce au docteur Galopin, spécialisé en électromagnétisme, ils vont chacun être mis en face de leur rêve... Et devront le cacher à l'autre ! Le cauchemar commence. Une comédie déjantée sous le signe de Feydeau.

L'homme qui voyait à travers les visages   n° 34802

Stagiaire à un canard local de Charleroi, Augustin est épuisé. Affamé, contraint de manger dans les poubelles, il vit dans un squat, s'endort au bureau et se fait houspiller par son rédacteur en chef acariâtre. Heureusement, Augustin a un don : il voit les morts autour de chacun de nous. Le jour où un djihadiste dynamite l'église du quartier, il a repéré une silhouette planant au-dessus de lui...

Lorsque j'étais une œuvre d'art   n° 30152

Le calvaire d'un homme qui devient son propre corps, un corps refaçonné en œuvre d'art au mépris de tout respect pour son humanité.

Madame Pylinska et le secret de Chopin   n° 35642

Madame Pylinska a une bien étrange manière d'enseigner le piano. Elle exige d'écouter le silence, de cueillir des fleurs à l'aube, de suivre le vent dans les arbres et le mouvement des vagues, de faire l'amour, mieux, d'aimer. Sa leçon de piano devient apprentissage de la vie. L'œuvre d'un musicien de génie peut-elle enchanter toute une vie et lui donner un sens ?

Mes maîtres de bonheur   n° 34862

La musique joue un rôle fondamental dans ma vie ; elle me console, me régénère, m'offre des larmes quand je m'assèche, de l'entrain lorsque je m'étiole. Dans mon chemin de sagesse, je dois autant aux musiciens qu'aux philosophes. Je les considère comme des « philosophes sans mots ». (E.-E. S.)

Milarepa   n° 32801

Simon fait chaque nuit le même rêve, terrible et incompréhensible... Dans un café, une femme énigmatique lui en livre la clef : il est la réincarnation de l'oncle de Milarepa, le célèbre ermite tibétain du XIe siècle...

Monsieur Ibrahim et les fleurs du Coran   n° 32521

Momo, un garçon juif de douze ans, devient l'ami du vieil épicier arabe de la rue Bleue. Mais les apparences sont trompeuses : monsieur Ibrahim n'est pas arabe, la rue Bleue n'est pas bleue, et la vie ordinaire peut-être pas si ordinaire...

La Nuit de feu   n°34355

À vingt-huit ans, Eric-Emmanuel Schmitt entreprend une randonnée dans le grand Sud algérien. Au cours de l'expédition, il s'égare dans l'immensité du Hoggar.

Sans eau ni vivres durant la nuit glaciale, il n'éprouve pourtant nulle peur et sent au contraire se soulever en lui une force brûlante. Le philosophe rationaliste voit s'ébranler toutes ses certitudes.

Odette Toulemonde et autres histoires   n° 31239

La vie a tout offert à l'écrivain Balthazar Balsan et rien à odette Toulemonde. Pourtant, c'est elle qui est heureuse. Leur rencontre fortuite va bouleverser leur existence.

La Part de l'autre   n° 15537

8 octobre 1908 : Adolf Hitler est recalé. Que se serait-il passé si l'école des Beaux-Arts de Vienne en avait décidé autrement ? Que serait-il arrivé si le jury avait accepté Adolf Hitler, flatté puis épanoui ses ambitions d'artiste ?

Les Perroquets de la place d'Arezzo   n° 33867

Autour de la place d'Arezzo se croisent le fonctionnaire et l'étudiant, le bourgeois et l'artiste, la poule de luxe et la veuve résignée, ou encore la fleuriste et l'irrésistible jardinier municipal. Un jour, chacun reçoit une lettre, mystérieuse, identique : « *Ce mot simplement pour te signaler que je t'aime. Signé : tu sais qui.* »

Plus tard, je serai un enfant   n° 35113

Dans cette série exceptionnelle d'entretiens inédits avec la journaliste et complice Catherine Lalanne, Eric-Emmanuel Schmitt retourne au jardin de l'enfance et aux sources de sa vocation d'écrivain, de musicien, d'homme de théâtre...

Le Poison d'amour   n° 33983

Quatre adolescentes sont liées par un pacte d'amitié
éternelle. Elles ont seize ans et sont avides de découvrir
le grand amour. Chacune tient un journal dans lequel
elle livre son impatience, ses désirs, ses conquêtes, ses
rêves. Au lycée, on s'apprête à jouer *Roméo et Juliette*,
tandis qu'un drame se prépare.

La Rêveuse d'Ostende   n° 31656

Cinq histoires – « La rêveuse d'Ostende », « Crime
parfait », « La guérison », « Les mauvaises lec-
tures », « La femme au bouquet » – suggérant que
le rêve est la véritable trame qui constitue l'étoffe de
nos jours.

La Secte des Égoïstes   n° 14050

À la Bibliothèque nationale, un chercheur découvre
la trace d'un inconnu, Gaspard Languenhaert qui, au
XVIIIᵉ siècle, soutint la philosophie « égoïste ». Selon
lui, le monde extérieur n'a aucune réalité et la vie n'est
qu'un songe. Intrigué, le chercheur part à la découverte d'éventuels documents.

Le sumo qui ne pouvait pas grossir   n° 33207

Sauvage, révolté, Jun promène ses quinze ans dans les
rues de Tokyo, loin d'une famille dont il refuse de parler. La rencontre avec un maître du sumo, qui décèle
un « gros » en lui malgré son physique efflanqué, va
l'entraîner dans la pratique du plus mystérieux des arts
martiaux.

Théâtre 1   n° 15396

Ce premier volume comprend les pièces suivantes :
*La Nuit de Valognes, Le Visiteur, Le Bâillon, L'École
du diable.*

Théâtre 2   n° 15599

Ce deuxième volume comprend les pièces suivantes :
Golden Joe, Variations énigmatiques, Le Libertin.

Théâtre 3   n° 30618

Ce troisième volume comprend les pièces suivantes :
*Frédérick ou le Boulevard du Crime, Petits crimes conju-
gaux, Hôtel des deux mondes.*

Théâtre 4   n° 34263

Ce quatrième volume comprend les pièces suivantes :
*La Tectonique des sentiments, Kiki van Beethoven, Un
homme trop facile, The Guitrys, La Trahison d'Einstein.*

Ulysse from Bagdad   n° 31987

Saad Saad, Espoir Espoir en arabe, fuit Bagdad et souhaite regagner l'Europe, mais la difficulté de passer les
frontières rend son voyage compliqué.

La Vengeance du pardon   n° 35248

Quatre destins, quatre histoires explorant les sentiments
les plus violents et les plus secrets qui gouvernent nos
existences. Quand les circonstances de la vie nous ont
entraînés dans l'envie, la perversion, l'indifférence ou
le crime, comment retrouver notre part d'humanité ?

LE SUMO QUI NE POUVAIT PAS GROSSIR, 2009.
LES DIX ENFANTS QUE MADAME MING N'A JAMAIS
    EUS, 2012.
FÉLIX ET LA SOURCE INVISIBLE, 2019.

Essais

DIDEROT, OU LA PHILOSOPHIE DE LA SÉDUCTION,
    1997.
MA VIE AVEC MOZART, 2005.
QUAND JE PENSE QUE BEETHOVEN EST MORT ALORS
    QUE TANT DE CRÉTINS VIVENT, 2010.
PLUS TARD, JE SERAI UN ENFANT (entretiens avec
    Catherine Lalanne), éditions Bayard, 2017.
MES MAÎTRES DE BONHEUR, Le Livre de Poche, 2017.

Beau livre

LE CARNAVAL DES ANIMAUX, musique de Camille
    Saint-Saëns, aquarelles de Pascale Bordet, 2014.

Théâtre

*Le Grand Prix du Théâtre de l'Académie
française a été décerné à Eric-Emmanuel Schmitt
pour l'ensemble de son œuvre*

LA NUIT DE VALOGNES, 1991.
LE VISITEUR (Molière du meilleur auteur), 1993.
GOLDEN JOE, 1995.
VARIATIONS ÉNIGMATIQUES, 1996.
LE LIBERTIN, 1997.
FRÉDÉRICK OU LE BOULEVARD DU CRIME, 1998.
HÔTEL DES DEUX MONDES, 1999.

PETITS CRIMES CONJUGAUX, 2003.
MES ÉVANGILES (*La Nuit des Oliviers*, *L'Évangile selon Pilate*), 2004.
LA TECTONIQUE DES SENTIMENTS, 2008.
UN HOMME TROP FACILE, 2013.
THE GUITRYS, 2013.
LA TRAHISON D'EINSTEIN, 2014.
GEORGES ET GEORGES, Le Livre de Poche, 2014.

Site Internet : eric-emmanuel-schmitt.com